A BELEZA DA SANTIDADE

HUMILDADE

A BELEZA DA SANTIDADE

Andrew Murray

Humility – The Beauty of Holiness
© 1994 Christian Literature Crusade, EUA
© 2000 Editora dos Clássicos
Publicado no Brasil com a devida autorização
e todos os direitos reservados por Publicações Pão Diário
em coedição com Editora dos Clássicos.

Tradução: Alessandra Schmitt Mendes
Revisão: João Guimarães, Francisco Nunes, Simei Cristina de Andrade e Lozane Winter
Revisão final: Paulo César de Oliveira
Edição: Gerson Lima
Capa e projeto gráfico: Audrey Novac Ribeiro
Diagramação: Denise Duck
Imagens: © Shutterstock

Dados Internacionais de Catalogação na Publicação (CIP)

MURRAY, Andrew
Humildade — A beleza da santidade
Tradução: Alessandra Schmitt Mendes
Curitiba/PR, Publicações Pão Diário e São Paulo/SP, Editora dos Clássicos.

Título original: *Humility — The Beauty of Holiness*

1. Fé; 2. Vida cristã; 3. Humildade; 4. Encorajamento.

Proibida a reprodução total ou parcial, sem prévia autorização, por escrito, da editora. Todos os direitos reservados e protegidos pela Lei 9.610, de 19/02/1998.
Permissão para reprodução: permissao@paodiario.com

Exceto quando indicado o contrário, os trechos bíblicos mencionados são da edição Revista e Atualizada de João F. de Almeida © 2009 Sociedade Bíblica do Brasil.

Publicações Pão Diário
Caixa Postal 4190,
82501-970 Curitiba/PR, Brasil
publicacoes@paodiario.org
www.publicacoespaodiario.com.br
Telefone: (41) 3257-4028

Editora dos Clássicos
www.editoradosclassicos.com.br
contato@editoradosclassicos.com.br
Telefones: (19) 3217-7089
(19) 3389-1368

Código: TP606
ISBN: 978-1-68043-686-0

1.ª edição: 2019 • 5.ª impressão: 2023

Impresso na China

Índice

Prefácio à terceira edição em português 7

Biografia 11

    Capítulo 1
    Humildade — a glória da criatura 15

    Capítulo 2
    Humildade — o segredo da redenção 21

    Capítulo 3
    A humildade na vida de Jesus 29

    Capítulo 4
    A humildade nos ensinamentos de Jesus 35

    Capítulo 5
    A humildade nos discípulos de Jesus 43

    Capítulo 6
    A humildade na vida diária 51

    Capítulo 7
    Humildade e santidade 59

Capítulo 8
    Humildade e pecado 67

Capítulo 9
    Humildade e fé...75

Capítulo 10
    Humildade e morte ao ego...81

Capítulo 11
    Humildade e alegria..89

Capítulo 12
    Humildade e exaltação 97

Notas Finais...105

Prefácio à Terceira Edição em Português[1]

As pedras preciosas necessitam de fogo, pressão e tempo para serem geradas. Por isso, são raras e valiosas. Mais de oito toneladas de rocha precisam ser escavadas para achar um grama de diamante! Ao contrário disso, tropeçamos em pedras comuns em qualquer esquina. Uma vez que as joias espirituais seguem o mesmo processo da formação das pedras preciosas, é com enorme satisfação em Deus que promovemos a terceira edição do clássico *Humildade – A beleza da santidade*, em coedição com Publicações Pão Diário.

Andrew Murray viveu entre os anos 1828 e 1917 e foi alguém comissionado por Deus para conduzir Seus filhos a viverem a vida cristã com profundidade. Isso o levou a escrever, em estilo devocional, cerca de 240 obras, entre seus mais de 50 livros e pequenas publicações, sendo *Humildade* reconhecido mundialmente como um dos mais profundos e espirituais clássicos da literatura cristã; uma inestimável obra de grande valor, aprovada pelo tempo, escrita por um autor provado pelo fogo.

Murray, como uma voz que clama no deserto, desvenda diante de nós o caminho para a verdadeira santidade e espiritualidade: não se trata de uma tentativa humana e religiosa, mas é nada menos que a manifestação da vida de Cristo em nós, quando aceitamos nada ser, para que Ele seja tudo. Por outro lado, ele nos alerta fortemente quanto ao engano de tentarmos girar a vida espiritual em torno de nós.

Ele condena o orgulho, afirmando ser este a raiz de todo pecado e mal, a porta, o nascimento e a maldição do inferno, a explicação de toda decadência e fracasso, tanto na vida de um filho de Deus como na Igreja. O orgulho da "santidade", diz ele, é "o mais sutil de todos os males", enquanto "a humildade é o único solo fértil no qual a graça de Deus pode produzir abundante fruto" […]. "O que você tem de orgulho dentro de você é o que tem de anjo caído vivendo em você; o que você tem de verdadeira humildade é o que você tem do Cordeiro de Deus dentro de você."

"O mal não pode ter início a não ser pelo orgulho, e não ter fim a não ser pela humildade. A verdade é esta: o orgulho tem de morrer em você, ou nada dos Céus poderá viver em você. Sob a bandeira da verdade, desista de si mesmo para o manso e humilde espírito de Cristo. A humildade tem de lançar a semente, ou não pode haver colheita nos Céus."

Em tempos em que um dos maiores problemas da sociedade e da Igreja é a luta pelo poder, esta obra é leitura obrigatória para todo aquele que anela conhecer a Deus e um forte desafio para voltarmos à humildade que Cristo ordenou aos Seus discípulos.

Gerson Lima
Editor da Editora dos Clássicos
Monte Mor, 23/01/19

---

[1]Adaptado do prefácio da segunda edição em português, publicada em setembro de 2003.

ANDREW MURRAY

Um homem que habitou em Cristo

ANDREW MURRAY nasceu na África do Sul, em 9 de maio de 1828. Seu pai era pastor vinculado à Igreja Presbiteriana da Escócia, que, por sua vez, mantinha estreita relação com a Igreja Reformada da Holanda, fato este que foi fundamental para influenciar Murray com o fervoroso espírito cristão holandês.

Em 1838, com apenas 10 anos, Murray foi enviado à Escócia a fim de estudar. Na época, um "reavivamento espiritual" estava sacudindo aquele país. Ele ficou hospedado com o tio que, na primavera de 1840, recebeu em sua casa o revivalista William C. Burns. O fato de Murray passar noites escutando, com admiração, os relatos de Burns sobre a obra que Deus estava realizando, influenciaria bastante as escolhas que Murray faria mais tarde. Em 1844, Murray se formou, na sequência viajou para a Holanda a fim de completar seus estudos, e, lá, aos 16 anos, experimentou o novo nascimento. Após isso, dedicou muito tempo, muitas madrugadas, a orar por um avivamento na África do Sul e a ler sobre experiências desse tipo ocorridas em outros países.

Após 10 anos de ausência Murray, em 1848, retornou à África do Sul atuando no ministério pastoral e evangelístico, levou consigo um reavivamento que abalou o país. Seu ministério enfatizava especialmente a necessidade de os cristãos habitarem em Cristo. Isso foi despertado especialmente quando, ao voltar para a África, se deparou com a grande extensão geográfica em que deveria ministrar. Aí começou a sentir necessidade de uma vida cristã mais profunda.

Murray aprendeu suas mais preciosas lições espirituais por meio da escola do sofrimento, principalmente após uma séria enfermidade. Sua filha testificou que, após essa doença, seu pai manifestava "constante ternura, serena benevolência e pensamento altruísta". Essa foi uma expressão de sua fé simples em Cristo e a Ele rendida.

Seu ministério, pela influência recebida do pai, foi caracterizado por profunda e ardente espiritualidade e por ação social. Em 1877, viajou pela primeira vez aos Estados Unidos e participou de muitas conferências nos

EUA e na Europa. Sua teologia era conservadora e se opunha francamente ao liberalismo. Em seus livros, enfatizou a consagração integral e absoluta a Deus, à oração e à santidade.

Durante os últimos 28 anos de sua vida, foi considerado o pai do Movimento Keswick da África do Sul. Muito dos aspectos místicos de sua obra deve-se à influência de William Law. Murray, assim como Law, Madame Guyon, Jessie Penn-Lewis e T. Austin-Sparks, conheceu o Senhor de forma profunda e se tornou um dos mais proeminentes no movimento da vida interior.

Foi acometido de uma infecção na garganta em 1879, a qual o deixou sem voz por quase dois anos. Foi curado desse mal na casa de uma família cristã em Londres. Como resultado dessa experiência, veio a crer que os dons miraculosos do Espírito Santo não se limitavam à Igreja Primitiva. Para ele, uma das características da vida vitoriosa era a profunda e silenciosa percepção de Deus e a intensa devoção a Ele.

Por crer no que Deus pode fazer por meio da literatura, Murray escreveu, em estilo devocional, cerca de 240 obras, entre seus mais de 50 livros e pequenas publicações. Seu legado tocou e toca a Igreja no mundo inteiro por meio de escritos profundos, incluindo: *O Espírito de Cristo; Cristo: A Resposta e Essência de Todas as Coisas Espirituais — comentário do Livro de Hebreus; Com Cristo na Escola de Oração e Humildade — A Beleza da Santidade* (publicados pela Editora dos Clássicos), os quais são considerados clássicos da literatura cristã.

Entre tantos que foram ajudados pelo rico ministério de Murray podemos mencionar A. W. Tozer e Watchman Nee, cujas obras trazem marcas do pensamento desse grande servo de Deus. Sua trajetória ministerial, pela influência exercida pelo pai, foi caracterizada por profunda e fervorosa espiritualidade e por ação social. Murray morreu em Wellington, Cape Town, África do Sul, em 18 de janeiro de 1917 aos 89 anos.

CAPÍTULO 1

HUMILDADE
— *a glória da criatura*

...e depositarão as suas coroas diante do trono,
proclamando: Tu és digno, Senhor
e Deus nosso, de receber a glória,
a honra e o poder, porque todas as coisas
tu criaste, sim, por causa da tua vontade
vieram a existir e foram criadas.
— APOCALIPSE 4:10,11

HUMILDADE

Quando Deus criou o Universo, Ele o fez com o único objetivo de tornar a criatura participante de Sua perfeição e bem-aventurança e, assim, mostrar nela a glória do Seu amor, sabedoria e poder. Deus desejava se revelar em suas criaturas e por meio delas, transmitindo-lhes a Sua própria bondade e glória quanto fossem capazes de receber. Mas esse transmitir não significava conceder à criatura algo que ela pudesse possuir em *si* mesma, a vida ou bondade das quais tivesse a responsabilidade e a disposição. De forma alguma! Mas como Deus é Eterno, Onipresente e Onipotente, e sustenta todas as coisas pela palavra do Seu poder, e em quem todas as coisas existem, assim a relação da criatura com Deus não poderia ser outra a não ser uma relação de ininterrupta, absoluta e universal *dependência*. Tão certo como Deus, pelo Seu poder, criou o mundo e tudo que nele há, assim também, pelo mesmo poder, Ele nos sustenta a cada momento. A criatura tem não somente que olhar para trás, para a origem e para os primórdios da existência, e reconhecer que todas as coisas vêm de Deus; seu principal cuidado, sua virtude mais elevada, sua única felicidade, agora e por toda a eternidade, deve ser apresentar a si mesma como um vaso vazio, no qual Deus possa habitar e manifestar Seu poder e bondade.

A vida que Deus entregou é concedida[1] a não de uma vez, mas a cada momento, continuamente, pela ação incessante de Seu grandioso poder. A humildade, o lugar da plena dependência de Deus, é, pela própria natureza das coisas, a primeira obrigação e a virtude mais elevada da criatura, e *a raiz de toda virtude*.

O orgulho, ou a perda dessa humildade, então, é a raiz de todo pecado e mal. Isso aconteceu quando os anjos agora caídos começaram a olhar para si mesmos com autocomplacência sendo levados à desobediência e foram expulsos da luz do Céu para as trevas exteriores. E também quando a serpente exalou o veneno do seu orgulho, o desejo de ser como Deus, no coração de nossos primeiros pais, eles também caíram da sua posição elevada para toda a desgraça na qual o homem está, agora, afundado. No Céu e na Terra, orgulho — *autoexaltação* — é a porta, o nascimento e a maldição do inferno[2].

Por isso, nossa redenção tem de ser a restauração da humildade perdida, o relacionamento original e o verdadeiro relacionamento da criatura com seu Deus. E, portanto, Jesus veio trazer a humildade de volta à Terra, fazer-nos *participantes* dessa humildade e, por ela, *salvar-nos*. Nos Céus, Ele Se humilhou para tornar-se homem. Nós vemos a humildade nEle ao se dominar a si mesmo nos Céus; Ele a trouxe de lá. Aqui na Terra, "a si mesmo se humilhou, tornando-se obediente até à morte". Sua humildade deu à Sua morte o valor que ela tem hoje e, então, tornou-se a nossa redenção. E agora a salvação que Ele concede é, nada mais, nada menos do que a transmissão de Sua própria vida e morte, Sua própria disposição e espírito[3], Sua própria humildade, como o solo e a raiz de Sua relação com Deus e Sua obra redentora. Jesus Cristo tomou o lugar e cumpriu o destino do homem, como mera criatura, por Sua vida de perfeita humildade. Sua humildade é nossa *salvação*. Sua salvação é *nossa* humildade.

HUMILDADE

Assim, a vida dos salvos, dos santos, tem necessariamente de exibir o selo de libertação do pecado e da plena restauração do seu estado original; todo seu relacionamento com Deus e com o homem tem de ser marcado por uma humildade que a tudo permeia. Sem isso, não se pode permanecer verdadeiramente na presença de Deus ou experimentar do Seu favor e o poder do Seu Espírito; sem isso não há fé, ou amor, ou regozijo ou força permanentes. A humildade é o único solo no qual a graça se enraíza; a falta de humildade é a suficiente explicação de todo defeito e fracasso. A humildade não é apenas uma graça ou virtude como outras; ela é a raiz de todas, pois somente ela toma a atitude correta diante de Deus e permite que Ele faça tudo.

Deus nos fez seres de tal modo racionais que, quanto mais discernirmos a natureza real ou a necessidade absoluta de uma ordem, tanto mais pronta e plena será nossa obediência a ela. O chamado para a humildade tem sido muito pouco considerado na Igreja porque sua verdadeira natureza e importância têm sido compreendidas superficialmente. Humildade não é algo que apresentamos para Deus ou que Ele concede; é simplesmente *o senso do completo nada ser que vem quando vemos como Deus é verdadeiramente tudo, e no qual damos caminho a Deus para ser tudo*. Quando a criatura percebe que esta é a verdadeira nobreza e consente ser com sua vontade, sua mente e seus afetos — a forma, o vaso no qual a vida e a glória de Deus estão para trabalhar e manifestar a si mesmas —, ela vê que humildade é simplesmente conhecer a verdade de sua posição como *criatura* e permitir a Deus tomar o Seu lugar.

Na vida dos cristãos genuínos, aqueles que buscam e professam a santidade, a humildade tem de ser a marca principal de sua retidão. É frequentemente dito que isso não é assim. Não poderia ser uma razão para isso o fato de que, no ensinamento e exemplo da Igreja, a humildade nunca teve o lugar de suprema importância que lhe pertence? E que isso, por sua vez, é devido à negligência desta verdade: que, forte como é o pecado como um motivo para humildade, há uma influência mais ampla e mais poderosa, a qual faz os anjos, a qual fez Jesus, a qual faz o mais santo dos santos nos Céus tão humildes; que a primeira e principal marca do relacionamento da criatura, o segredo de sua bem-aventurança, é a humildade e o nada ser que permitem que Deus seja tudo?

Tenho certeza de que há muitos cristãos que confessarão que sua experiência tem sido muito parecida com a minha nisto: que por muito tempo conhecemos o Senhor sem perceber que a mansidão e a humildade de coração devem ser os aspectos distintivos do discípulo, assim como foram do Mestre. E, além disso, que essa humildade não é algo que virá por si mesma, mas deve ser feita o objeto de especial desejo, e oração, e fé, e prática. Ao estudar a Palavra, veremos quais instruções distintas e repetidas Jesus deu a Seus discípulos nesse ponto, e como eles eram vagarosos em compreendê-lo. Vamos, logo no início de nossa meditação, admitir que não há nada tão natural para o homem, nada tão insidioso e oculto de nossa visão, nada tão difícil e perigoso como o *orgulho*. Vamos sentir que nada, a não ser uma espera determinada e perseverante em Deus e Cristo, revelará como estamos carentes da graça da humildade e quão débeis somos para obter o que buscamos. Vamos estudar o caráter de Cristo até nossa alma estar cheia de amor e admiração por Sua humildade. E vamos crer que, quando temos a percepção de nosso orgulho e de nossa impotência para expulsá-lo, o próprio Jesus Cristo virá para dar *essa graça também* como parte de Sua maravilhosa vida em nosso interior.

---

[1] Ou transmitida.
[2] Ver nota A, p. 105.
[3] Com minúscula no original, não se referindo ao Espírito Santo, mas usada como sinônimo de disposição.

CAPÍTULO 2

HUMILDADE
— *o segredo da redenção*

---

*Tende em vós o mesmo sentimento
que houve também em Cristo Jesus [...]
que a si mesmo se esvaziou, assumindo a
forma de servo [...] e a si mesmo se humilhou,
tornando-se obediente até à morte,
e morte de cruz. Pelo que também
Deus o exaltou sobremaneira...*
—FILIPENSES 2:5,7-9

HUMILDADE

Nenhuma árvore pode crescer se não for na raiz da qual brotou. Ao longo de toda a sua existência, ela pode viver somente com a vida que estava na semente que lhe trouxe a existência. A plena compreensão dessa verdade em sua aplicação ao primeiro e ao Último Adão nos ajudará grandemente a entender tanto a necessidade como a natureza da redenção que há em Jesus.

A NECESSIDADE

Quando a velha serpente, que foi expulsa dos Céus por seu orgulho, cuja natureza completa como diabo era orgulhosa, falou suas palavras de tentação aos ouvidos de Eva, essas palavras levavam consigo o próprio veneno do inferno. E quando ela ouviu, e entregou seu desejo e sua vontade à possibilidade de ser como Deus, conhecendo o bem e o mal, o veneno entrou em sua alma, sangue e vida, destruindo para sempre aquela abençoada humildade e dependência de Deus que teria sido nossa felicidade perpétua. E, em vez disso, sua vida e a vida da raça que brotou dela se tornaram corrompidas desde a *raiz* com o mais terrível de todos os pecados e maldições: o veneno do *orgulho* do próprio Satanás. Todas as desgraças das quais o mundo tem sido o cenário, todas as suas guerras e derramamento de sangue entre as nações, todo o egoísmo e sofrimento, toda a ambição e inveja, todos os seus corações partidos e vidas amarguradas, com toda a sua infelicidade cotidiana, têm sua origem no que este orgulho maldito e infernal — seja o nosso próprio ou o de outros — nos trouxe. É o *orgulho* que faz a redenção necessária; é *do nosso orgulho* que precisamos, acima de todas as coisas, ser redimidos! E nossa compreensão da necessidade de redenção vai depender grandemente de nosso conhecimento da terrível natureza do poder que entrou em nosso ser.

Nenhuma árvore pode crescer se não for na raiz da qual brotou. O poder que Satanás trouxe do inferno, e lançou para dentro da vida do homem, está agindo diariamente, a todo tempo, com grande poder por todo o mundo. Os homens sofrem por sua causa; eles temem e lutam e fogem disso, e ainda não sabem de onde isso vem e de onde provém sua terrível supremacia! Não é de admirar que eles não saibam onde ou como isso deverá ser vencido. O orgulho tem sua raiz e força em um terrível poder espiritual, tanto fora como dentro de nós; tão necessário como confessá-lo e lamentá-lo como nosso é conhecê-lo em sua *origem satânica*. Se isso nos leva a um desespero completo de, absolutamente, subjugar e expulsar esse orgulho, isso nos levará o quanto antes ao único poder sobrenatural no qual nossa libertação poderá ser encontrada: a redenção do Cordeiro de Deus. A batalha desesperada contra a atuação do ego e do orgulho dentro de nós pode, realmente, tornar-se ainda mais desesperadora quando pensamos no poder das trevas por trás de tudo isso; mas o desespero completo irá nos preparar melhor para percebermos e aceitarmos o poder e a vida fora de nós mesmos, que é a *humildade dos Céus* tal como foi trazida para baixo e para perto pelo Cordeiro de Deus, a fim de expulsar Satanás e seu orgulho.

HUMILDADE

Nenhuma árvore pode crescer se não for na raiz da qual brotou. Assim como precisamos olhar para o primeiro Adão e sua queda para conhecer o poder do pecado dentro de nós, precisamos conhecer também o Último Adão e Seu poder para nos dar interiormente a vida de humildade tão autêntica, permanente e dominante quanto tem sido a do orgulho. Temos nossa vida de Cristo e em Cristo, tão verdadeiramente — de fato *mais* verdadeiramente — como de Adão e em Adão. Temos de andar arraigados nEle, "retendo a Cabeça, da qual todo o corpo [...] cresce o crescimento que procede de Deus" (CL 2:7,19). A vida de Deus, a qual, na encarnação, entrou na natureza humana, é a *raiz* na qual devemos estar firmados e crescer; é o mesmo poder grandioso que trabalhou lá e, desde então, ruma para a ressurreição, que age diariamente em nós. Nossa única necessidade é estudar, conhecer e confiar na vida que foi revelada em Cristo como a vida que agora é nossa, e espera por nosso consentimento para tomar posse e ter o domínio completo de nosso ser.

Com isso em vista, é de inconcebível importância que tenhamos pensamentos corretos do que Cristo é — do que realmente o constitui como o Cristo — e especialmente do que pode ser considerado como Sua principal característica, a raiz e a essência de todo Seu caráter como nosso redentor. Não pode haver senão uma resposta: a Sua *humildade*. O que é a encarnação, Seu esvaziar a si mesmo e ter se tornado homem, senão Sua humildade celestial? O que é a Sua vida na Terra, Seu assumir a forma de servo, senão a humildade? E o que é a Sua expiação senão a humildade? "...a si mesmo se humilhou, tornando-se obediente até à morte..." (FP 2:8). E o que são Sua ascensão e Sua glória senão a humildade *exaltada* ao trono e coroada de glória? "...a si mesmo se humilhou [...] pelo que também Deus o exaltou sobremaneira..." (vv.8,9). Nos Céus, onde Ele estava com o Pai, em Seu nascimento, em Sua vida, em Sua morte, em Seu assentar-se no trono: tudo isso não é outra coisa a não ser humildade. Cristo é *a humildade de Deus* incorporada na natureza humana: o Amor Eterno humilhando-se a si mesmo, revestindo-se com as vestes da mansidão e da bondade para vencer, e servir e nos salvar. Como o amor e condescendência de Deus fazem dEle o benfeitor, e auxiliador e servo de todos, assim Jesus, por necessidade, tornou-se a *Humildade Encarnada*. E assim, mesmo no centro do trono, Ele é o manso e humilde Cordeiro de Deus.

Se isso for a raiz da árvore, sua natureza tem de ser vista em cada ramo, folha e fruto. Se a humildade for a primeira, a graça todo-inclusiva da vida de Jesus — se a humildade for o segredo de Sua *expiação* —, então a saúde e a força de nossa vida espiritual dependerão inteiramente de colocarmos essa graça em primeiro lugar também e fazer da humildade a principal coisa que admiramos nEle, a principal coisa que pedimos dEle, a única coisa pela qual sacrificamos tudo o mais.

É de admirar que a vida cristã seja tão frequentemente fraca e infrutífera, se a própria raiz do Cristo-vida é negligenciada, é desconhecida? É de admirar que a alegria da salvação seja tão pouco experimentada, se aquela atitude em que Cristo a encontrou e a trouxe é tão pouco procurada? Até que uma humildade que descansará em nada menos do que o fim e a morte do ego — que renuncia a toda honra dos homens, como Jesus fez, para buscar a honra que vem somente de Deus; que se considera e faz de si mesmo absolutamente nada, para que Deus possa ser tudo, para que somente o Senhor seja exaltado — até que tal humildade seja o que buscamos em Cristo, acima de nossa maior alegria, e seja bem-vinda a qualquer preço, há muito pouca esperança de que haja uma religião[1] que vencerá o mundo.

Eu não poderia pleitear com demasiada seriedade com meu leitor se, porventura, sua atenção ainda não se tenha voltado, de maneira especial, à falta de humildade que há em seu interior e em torno dele, para parar e questionar se ele vê muito do espírito[2] do manso e humilde Cordeiro de Deus naqueles que são chamados pelo Seu nome. Que ele considere como toda carência de amor, toda indiferença às necessidades, aos sentimentos, à fraqueza de outros, todo julgamento e expressão severa e precipitada — que, tantas vezes, se justificam sob o argumento de ser franco e honesto —, todas as manifestações de temperamento, sensibilidade e irritação e todos os sentimentos de amargura e desavença têm sua raiz em nada senão no orgulho, que sempre busca a si mesmo! Então, seus olhos serão abertos para ver como um orgulho tenebroso, para não dizer um orgulho diabólico, adentra em quase todo lugar, sem excluir as assembleias dos santos. Que ele comece a questionar qual seria o efeito dentro dele e naqueles à sua volta se os crentes estivessem, de fato, sendo permanentemente guiados pela humildade de Jesus no relacionamento tanto com os santos como com o mundo; e que ele diga se o clamor de todo o nosso coração, noite e dia, não teria de ser: "Que a humildade de Jesus esteja em mim e em todos ao meu redor!". Que ele enfoque seu coração honestamente em sua própria carência daquela humildade que foi revelada na semelhança da vida de Cristo e em todo o caráter de Sua redenção, e ele começará a sentir como se nunca tivesse realmente conhecido o que são Cristo e Sua salvação.

Cristão, estude a humildade de Jesus! Esse é o segredo, a raiz oculta da sua redenção. Aprofunde-se nela cada dia. Creia com todo o seu coração que esse Cristo, a quem Deus lhe deu, assim como Sua humildade divina fez o trabalho para você, também entrará para habitar e agir em você e para fazer o que o Pai deseja que você seja.

---

[1] No sentido positivo de fé cristã.
[2] Com minúscula no original, no sentido de disposição.

CAPÍTULO 3

A HUMILDADE
na vida de Jesus

---

*…no meio de vós,
eu sou como quem serve.*
— LUCAS 22:27

HUMILDADE

No evangelho de João, temos a vida interior de nosso Senhor exposta a nós. Nesse texto Jesus fala frequentemente de Seu relacionamento com o Pai, dos motivos pelos quais Ele é guiado, de Sua consciência do poder e espírito[1] nos quais Ele atua. Ainda que a palavra "humilde" não apareça, não há qualquer outro lugar nas Escrituras onde vemos tão claramente em que consistia Sua humildade. Já dissemos que essa graça, na verdade, nada é senão o simples consentimento da criatura em *permitir que Deus seja tudo*, em virtude de se entregar exclusivamente ao Seu agir. Em Jesus, veremos que, tanto como Filho de Deus nos Céus como homem na Terra, Ele tomou o lugar de total subordinação e deu a Deus a honra e a glória que lhe são devidas. E o que Jesus ensinou tão frequentemente tornou-se verdade para Ele mesmo: "...quem a si mesmo se humilhar será exaltado" (MT 23:12). Como está escrito: "...a si mesmo se humilhou [...] Pelo que também Deus o exaltou sobremaneira..." (FP 2:8,9).

Ouça as palavras em que o Senhor fala de Seu relacionamento com o Pai e veja como incessantemente Ele usa as palavras "não" e "nada" para referir-se a Ele mesmo. O "não eu", no qual Paulo expressa seu relacionamento com Cristo, é o mesmo espírito no qual Cristo fala de Seu relacionamento com o Pai.

"O Filho *nada* pode fazer de si mesmo" (JO 5:19).
"Eu *nada* posso fazer de mim mesmo [...]. O meu juízo é justo, porque *não* procuro a minha própria vontade" (v.30).
"Eu *não* aceito glória que vem dos homens" (v.41).

"Eu desci do Céu, *não* para fazer a minha própria vontade" (6:38).

"O meu ensino *não* é meu" (7:16).

"*Não* vim de mim mesmo" (v.28 ARC).

"*Nada* faço por mim mesmo" (8:28).

"*Não* vim de mim mesmo, mas ele me enviou" (8:42 ARC).

"Eu *não* procuro a minha própria glória" (v.50).

"As palavras que eu vos digo, *não* as digo por mim mesmo" (14:10).

"A palavra que estais ouvindo *não* é minha" (v.24).

Essas palavras abrem para nós as raízes mais profundas da vida e da obra de Cristo. Elas nos falam como foi que o Deus Todo-Poderoso pôde trabalhar Sua maravilhosa obra de redenção por meio dEle, Cristo. Elas mostram o que Cristo considerou como o estado de coração que lhe cabia como o Filho do Pai. Elas nos ensinam o que são a natureza e vida essenciais dessa redenção que Cristo cumpriu e agora transmite. É isto: Ele não era nada para que *Deus* fosse tudo. Ele renunciou totalmente a si mesmo, com Sua vontade e Suas forças, para que o Pai trabalhasse nEle. De Seu próprio poder, Sua própria vontade, Sua própria glória, de toda a Sua missão com todas as Suas obras e Seu ensinamento — de tudo isso, como se dissesse: "Não sou Eu, não sou nada. Eu Me dei totalmente ao Pai para trabalhar; não sou nada, o Pai é tudo".

Cristo descobriu que essa vida de total abnegação, de absoluta submissão e dependência da vontade do Pai era uma vida de perfeita paz e alegria. Ele não perdeu nada dando tudo para Deus. Deus honrou Sua confiança e fez tudo para Ele, e, então, o exaltou à Sua mão direita em glória. E porque Cristo se humilhou assim diante de Deus, e Deus estava sempre diante dEle, Ele achou possível humilhar-se diante dos homens também e ser o Servo de todos. Sua humildade era simplesmente o entregar a si mesmo a Deus para permitir que o Pai fizesse nEle o que o agradasse, não importando o que os homens à Sua volta dissessem dEle ou fizessem a Ele.

É nesse estado de mente, nesse espírito e disposição, que a redenção de Cristo tem sua virtude e eficácia. É para nos trazer para essa disposição que somos feitos participantes de Cristo. Esta é a verdadeira abnegação, para a qual nosso Salvador nos chama: o reconhecimento de que o ego não tem nada de bom em si mesmo, exceto como um recipiente vazio que Deus tem de preencher, e de que sua pretensão de ser ou fazer qualquer coisa não deve, nem por um momento, ser permitida. É nisto, acima e antes de todas as coisas, que consiste a conformidade com Jesus: nada ser e nada fazer de nós mesmos, para que Deus seja tudo.

Aqui temos a raiz e natureza da verdadeira humildade. Por não entender ou buscar isso é que nossa humildade é tão superficial e tão débil. Temos de aprender de Jesus, que é manso e humilde de coração. Ele nos ensina onde a verdadeira humildade tem origem e acha sua força: no conhecimento de que é Deus quem opera tudo em todos, que nosso dever é nos render a Ele em perfeita resignação e dependência, em pleno consentimento de não ser e não fazer nada por nós mesmos. Esta é a vida que Cristo veio revelar e conceder: a vida para Deus estabelecida por meio da morte para o pecado e para o ego. Se sentimos que essa vida é elevada demais para nós e está além de nosso alcance, isso tem de nos tanger ainda mais por buscá-la *nEle*; o Cristo que habita em nós interiormente viverá essa vida, essa mansidão e essa humildade em nós. Se desejarmos ardentemente por isso, vamos, acima de todas as coisas, buscar o santo segredo do conhecimento da natureza de Deus, enquanto Ele trabalha, a todo momento, tudo em todos. O segredo do qual toda a natureza e todas as criaturas e, sobretudo, todo filho de Deus devem ser a testemunha é este: nada são senão um vaso, um canal, através do qual o Deus vivo pode manifestar as riquezas de *Sua* sabedoria, poder e bondade. A raiz de toda virtude e graça, de toda fé e adoração aceitável é que sabemos que não temos nada que não tenhamos recebido, e reverenciamos, na mais profunda humildade, esperando em Deus para isso.

Foi porque essa humildade não era apenas um sentimento temporário despertado e trazido em exercício quando Ele considerava a Deus, mas era o próprio espírito de *toda Sua vida*, que Jesus era tão humilde em Seu relacionamento com os homens como o era em Seu relacionamento com Deus. Ele se sentiu o Servo *de Deus* para os homens que Deus fez e amou; como uma consequência natural, Ele se considerou como o Servo *dos homens* para que, por meio dEle, Deus pudesse efetuar Sua obra de amor. Ele nunca, nem por um momento, pensou em buscar Sua própria honra ou em usar Seu poder para vindicar a si mesmo. Seu espírito foi por completo o de uma vida entregue a Deus para Ele operar nela. Somente

HUMILDADE

quando os cristãos estudarem a humildade de Jesus como a própria essência da Sua redenção, como a própria bem-aventurança da vida do Filho de Deus e como o único verdadeiro relacionamento com o Pai e, portanto, como aquela humildade que Jesus tem de *nos* dar se devemos ter parte com Ele, é que a terrível falta humildade verdadeira, celestial e manifesta se tornará um fardo e um pesar, e só então nossa religião comum será colocada de lado para garantir essa humildade, a primeira e principal das marcas do Cristo em nosso interior.

Você está revestido de humildade? Pergunte ao seu viver diário. Pergunte a Jesus. Pergunte a seus amigos. Pergunte ao mundo. E comece a louvar a Deus, pois lhe foi aberta, em Jesus, a humildade celestial que você mal conheceu e pela qual a bênção que você, provavelmente, jamais tenha provado ainda poderá vir até você.

---

[1] No sentido de disposição.

CAPÍTULO 4

A HUMILDADE
nos ensinamentos de Jesus

...aprendei de mim,
porque sou manso e humilde de coração...
— MATEUS 11:29

...quem quiser tornar-se grande entre vós,
será esse o que vos sirva; [...]
tal como o Filho do Homem, que não veio
para ser servido, mas para servir...
— MATEUS 20:26,28

HUMILDADE

Vimos a humildade na vida de Cristo, como Ele revelou Seu coração para nós. Agora vamos ouvir Seu ensinamento. Para tal, devemos ouvir como Ele fala disso, e até que ponto Ele espera que os homens, e especialmente Seus discípulos, sejam humildes como Ele foi. Vamos estudar cuidadosamente as passagens (as quais raramente faço mais do que citar) para receber a plena impressão de quão frequente e quão seriamente Ele ensinou isso. Isso poderá nos ajudar a perceber o que Ele requer de nós.

1. Olhe para o início do Seu ministério. Nas bem-aventuranças com as quais o Sermão do Monte começa, Ele disse: "Bem-aventurados os humildes de espírito, porque deles é o reino dos céus. [...] Bem-aventurados os mansos, porque herdarão a terra" (MT 5:3,5). As primeiras palavras de Sua proclamação do reino dos Céus revelam a única porta aberta através da qual entramos. Para os pobres, que não têm nada em si mesmos, vem o reino. Para os mansos, que não buscam nada em si mesmos, será a terra. As bênçãos dos Céus e da Terra são para os humildes. Para a vida celestial e terrena, a humildade é o segredo da bênção.

2. "...aprendei de mim, porque sou manso e humilde de coração; e achareis descanso para a vossa alma" (11.29). Jesus ofereceu a si mesmo como Mestre. Ele nos fala que espírito podemos achar nEle como Mestre, o qual também podemos aprender e receber dEle. Mansidão e humildade são a única coisa que Ele nos oferece; nelas acharemos perfeito descanso para nossa alma. A humildade foi destinada para ser nossa salvação.

3. Os discípulos disputaram quem seria o maior no reino, e concordaram em perguntar ao Mestre (LC 9:46; MT 18:1). Ele colocou uma criança no meio deles e disse: "Aquele que se tornar humilde como esta criança, esse é o maior no Reino dos céus" (MT 18:4 ARC). "Quem é, porventura, o maior no reino dos céus?" A pergunta é, de fato, de grandes implicações. Qual será a principal distinção no Reino dos céus? A resposta, ninguém, a não ser Jesus, poderia ter dado: a principal glória nos Céus, a verdadeira inclinação celestial, a principal das graças é a humildade. "Aquele que entre vós for o menor de todos, esse é que é grande" (LC 9:48 ARC).

4. A mãe dos filhos de Zebedeu pediu a Jesus que seus filhos se sentassem à Sua direita e à Sua esquerda, no lugar mais elevado no Reino. Jesus disse que não era Ele quem concederia isso, mas o Pai o daria àqueles para quem estava preparado. Eles não devem buscar ou pedir por isso. Seu pensamento tem de estar voltado para o cálice e o batismo da humilhação. E depois, Jesus acrescentou: "...quem quiser tornar-se grande entre vós, será esse o que vos sirva; [...] tal como o Filho do Homem, que não veio para ser servido, mas para servir..." (MT 20:26,28). Como a humildade é a marca de Cristo, o Celestial, ela será o único padrão de glória nos Céus: o mais humilde é que estará mais perto de Deus. A primazia na Igreja é prometida aos mais humildes.

5. Falando, às multidões e aos discípulos, sobre os fariseus e sobre o amor deles pelas primeiras cadeiras nas sinagogas, Cristo disse uma vez mais: "Mas o maior

HUMILDADE

dentre vós será vosso servo" (MT 23:11). A humildade é a única escada para a honra no reino de Deus.

6. Em outra ocasião, na casa de um fariseu, Ele contou a parábola de um convidado que foi chamado para ocupar um lugar mais à frente (LC 14:7-11) e acrescentou: "Pois todo o que se exalta será humilhado; e o que se humilha será exaltado". A exigência é implacável. Não há outro caminho. Somente a auto-humilhação será exaltada.

7. Depois da parábola do fariseu e do publicano, Cristo falou novamente: "...porque todo o que se exalta será humilhado; mas o que se humilha será exaltado" (LC 18:14). No templo, na presença e na adoração a Deus, tudo o que não é permeado por uma profunda e verdadeira humildade diante de Deus e dos homens é sem valor.

8. Após ter lavado os pés dos discípulos, Jesus disse: "Se eu, sendo o Senhor e o Mestre, vos lavei os pés, também vós deveis lavar os pés uns dos outros" (JO 13:14). A autoridade da liderança e do exemplo, todo pensamento, seja de obediência ou conformidade, faz da humildade o primeiro e mais essencial elemento do discipulado.

9. À mesa da Santa Ceia, os discípulos ainda disputavam quem seria o maior. Jesus disse: "...o maior entre vós seja como o menor; e aquele que dirige seja como o que serve [...] no meio de vós, eu sou como quem serve" (LC 22:26,27). O caminho pelo qual Jesus andou, e que Ele nos abriu, o poder e o espírito nos quais Ele efetuou a nossa salvação, e para os quais Ele nos salva, é sempre a humildade, que me faz o servo de todos.

Quão pouco isso é pregado! Quão pouco isso é praticado! Quão pouco a falta disso é sentida ou confessada!, para não dizer quão poucos chegam a isto: a alguma medida considerável de semelhança a Jesus em Sua humildade. Antes, quão poucos pensam em fazer sempre disso um objeto específico de contínuo desejo ou oração. Quão pouco o mundo tem visto isso! Quão pouco isso tem sido visto até mesmo no círculo interior[2] da Igreja.

"Quem quiser tornar-se grande entre vós, será esse o que vos sirva." Que Deus nos permita crer que Jesus fala sério! Todos sabemos o que o caráter de um servo ou escravo fiel implica: devoção aos interesses do mestre, estudo cuidadoso e atento para agradá-lo, deleitar-se em sua prosperidade e honra e felicidade. Há servos na Terra nos quais essas disposições são vistas, e para os quais o nome de servo nunca foi nada a não ser glória. Para quantos de nós não tem sido uma nova alegria na vida cristã saber que podemos nos entregar como servos, como escravos a Deus, e descobrir que o servir a Ele é nossa maior liberdade, a liberdade do pecado e do ego? Precisamos agora aprender *outra* lição: Jesus nos chama para sermos servos uns dos outros, e que, quando aceitamos isso de coração, esse serviço também será o mais abençoado de todos, uma nova e mais plena libertação do pecado e do ego.

À primeira vista, isso pode parecer difícil; isso é assim somente por causa do orgulho que ainda se considera alguma coisa. Se uma vez aprendermos que ser nada diante de Deus é a glória da criatura, o espírito de Jesus, o regozijo dos Céus, daremos boas-vindas com todo o coração à disciplina que, porventura, tenhamos ao servir até mesmo aqueles que tentam nos importunar. Quando nosso próprio coração estiver colocado nisto, na verdadeira santificação, estudaremos cada palavra de Jesus em auto-humilhação com novo deleite, e nenhum lugar será baixo demais e nenhum rebaixamento será profundo demais e nenhum serviço será insignificante ou prolongado demais se pudermos compartilhar e provar a comunhão com Ele, que afirmou: "Eu, porém, entre vós sou como aquele que serve" (LC 22:27).

Aqui está o caminho para a vida superior: baixo, mais baixo! Isso foi o que Jesus sempre disse aos discípulos que estavam pensando em ser grandes no Reino e em sentar-se à Sua direita e à Sua esquerda. Não busquem, não peçam por exaltação; isso é trabalho de Deus. Olhem para isso para que vocês se humilhem e não tomem diante de Deus ou do homem lugar que não seja o de servo; isso é o trabalho de vocês. Façam com que esse seja seu único propósito e oração. Deus é fiel. Assim como a água busca e preenche o lugar mais baixo, assim também, no momento em que Deus encontra a criatura rebaixada e esvaziada, Sua glória e poder fluem para exaltar e abençoar. Aquele que se humilhou — esse deve ser o nosso único cuidado — esse será exaltado. Isso é o cuidado de Deus; pelo Seu poder maravilhoso e em Seu grande amor, Ele fará isso.

Os homens, algumas vezes, falam como se humildade e mansidão pudessem tirar de nós o que é nobre, corajoso e valoroso. Ó, quem dera todos cressem que humildade é a nobreza do Reino dos céus, que ela é o espírito genuíno que o Rei dos céus exibiu, que isso é semelhança a Deus: humilhar-se, tornar-se o servo de todos! Esse é o caminho para a alegria e para a glória da presença de Cristo em nós, Seu poder repousando sobre nós.

Jesus, o Manso e Humilde, nos chama para aprender dEle o caminho de Deus. Vamos estudar as palavras que temos lido, até que nosso coração seja preenchido com o pensamento: *Minha única necessidade é a humildade*. E vamos crer que o que Deus mostra, Ele concede; o que Ele é, Ele concede. Como Aquele que é Manso e Humilde, Ele virá e habitará no coração desejoso.

---

[1] A palavra pode ser traduzida também por pobres, como usada pelo autor.
[2] Provavelmente, referindo-se à liderança.

CAPÍTULO 5

A HUMILDADE
nos discípulos de Jesus

———•———

*...o maior entre vós
seja como o menor; e aquele que dirige
seja como o que serve.*
— LUCAS 22:26

HUMILDADE

Estudamos a humildade na pessoa e ensinamento de Jesus; vamos agora procurá-la no círculo de Seus companheiros escolhidos: os doze apóstolos. Se, na falta de humildade que achamos neles, o contraste entre Cristo e os homens é tornado mais claro, isso nos ajudará a apreciar a poderosa mudança que o Pentecostes propiciou a eles, e prova quão verdadeira pode ser nossa participação no triunfo perfeito da humildade de Cristo sobre o orgulho que Satanás soprou no interior do homem.

Nos textos citados do ensinamento de Jesus, já vimos quais foram as ocasiões nas quais os discípulos provaram quão destituídos estavam com relação à graça da humildade. Uma vez, eles discorriam pelo caminho qual deles seria o maior. Outra vez, os filhos de Zebedeu com sua mãe pediram pelos primeiros lugares, sentar à direita e à esquerda do Senhor. E mais tarde, na Santa Ceia, na última noite, houve novamente uma contenda sobre quem deles seria considerado o maior. Não que não tenha havido momentos em que eles realmente se humilharam diante do Senhor. Aconteceu com Pedro quando ele disse: "Senhor, retira-te de mim, porque sou pecador" (LC 5:8). E também com os discípulos, quando eles caíram em terra e adoraram o Senhor, que havia acalmado a tempestade. Mas essas expressões ocasionais de humildade são apenas um forte contraste em relação ao que era o tom habitual de sua mente, como mostrado na revelação natural e espontânea dada, outras vezes, ao lugar e ao poder do ego. O estudo do significado de tudo isso nos ensinará lições mais importantes.

Primeiro, *quanto pode haver de religião enérgica e ativa enquanto a humildade ainda é tristemente ausente.* Veja isso nos discípulos. Havia neles uma atração intensa por Jesus. Eles haviam abandonado tudo por Ele. O Pai lhes havia revelado que Ele era o Cristo de Deus. Eles creram nEle, eles o amaram, eles obedeceram a Seus mandamentos. Eles abandonaram tudo para seguir o Senhor. Quando outros retrocederam, eles se separaram para o Senhor. Eles estavam prontos para morrer com Ele. Porém mais profundo que tudo isso, havia um poder das trevas, de cuja existência e horribilidade eles raramente estavam conscientes, que deveria ser morto e expulso antes que eles pudessem ser as testemunhas do poder de Jesus para salvar.

E ainda é assim. Podemos achar professores[1] e ministros, evangelistas e obreiros, missionários e mestres em quem os dons do Espírito Santo são muitos e manifestos, e são canais de bênção para multidões, mas em quem, quando o tempo de testes vem ou uma comunhão mais próxima nos permite conhecê-los mais plenamente, é apenas dolorosamente óbvio que a graça da humildade, como característica permanente, é raramente vista. Tudo tende a confirmar a lição de que a humildade é uma das principais e supremas graças, uma das mais difíceis de obter, algo para o que nossos primeiros e principais esforços têm de ser direcionados, algo que vem somente em poder quando a plenitude do Espírito nos faz participantes do Cristo que habita e vive dentro de nós.

Segundo, *quão impotentes são todos os ensinamentos externos e esforços pessoais para vencer o orgulho ou conceber o coração manso e humilde.* Durante três anos os discípulos estiveram na escola de treinamento de Jesus. Ele lhes disse qual era a lição principal que desejava ensinar-lhes: "Aprendei de Mim, pois sou humilde e manso de coração". Repetidamente Ele falava a eles, aos fariseus, à multidão, sobre a humildade como o único caminho para a glória de Deus. Ele não tinha apenas vivido diante deles como o Cordeiro de Deus em Sua humildade divina; Ele lhes expôs, mais de uma vez, o segredo íntimo de Sua vida: "O Filho do Homem não veio para ser servido, mas para servir"; "Estou entre vós como aquele que serve". Ele lavou os pés dos discípulos e lhes disse para seguir Seu exemplo. E tudo isso foi de pouco proveito. Na Santa Ceia ainda houve contenda quanto a qual deles seria o maior. Sem dúvida, eles tentaram muitas vezes aprender Suas lições, e firmemente resolveram não ofendê-lo novamente. Mas tudo em vão.

Isso deveria ensiná-los e a nós também a lição mais necessária de que nenhuma instrução exterior, nem mesmo a dada pelo próprio Cristo; nenhum argumento, por mais convincente que seja; nenhuma percepção da beleza da humildade, por mais profunda que seja; nenhuma decisão pessoal ou esforço, por mais sincero e sério que seja, pode expulsar o mal do orgulho. Quando Satanás expulsa Satanás, isso serve apenas para reintroduzir um poder mais forte, ainda que mais oculto. Nada pode ser útil, a não ser isto: que a nova natureza em sua divina humildade seja revelada em poder para tomar o lugar da velha, para tornar nossa natureza tão verdadeira como jamais fora.

Terceiro, *é apenas pelo habitar de Cristo em Sua divina humildade que nos tornamos verdadeiramente humildes*. Temos nosso orgulho que veio de outro, de Adão; logo temos de ter nossa humildade também vinda de Outro, de Jesus. O orgulho é nosso e governa em nós com seu mui terrível poder, pois isso é nosso próprio ser, nossa própria natureza. A humildade tem de ser nossa da mesma maneira; ela tem de ser nosso próprio ser, nossa própria natureza. Tão natural e fácil como é ser orgulhoso, tem de ser, e será, ser humilde. A promessa é que: "Onde", até mesmo no coração, "abundou o pecado, superabundou a graça".

Todo ensinamento de Cristo aos Seus discípulos, e todo esforço inútil deles, foi a preparação necessária para o Senhor habitar neles em poder divino, para dar e ser neles o que Ele os havia ensinado a desejar. Em Sua morte, Jesus destruiu o poder do mal, Ele afastou o pecado, Ele consumou uma redenção eterna. Em Sua ressurreição, o Filho recebeu do Pai a vida completamente nova, a vida de homem revigorada pelo poder de Deus, capaz de ser transmitida aos homens, e entrar, e renovar, e preencher a vida deles com Seu divino poder. Em Sua ascensão, Jesus recebeu o Espírito do Pai, por meio de quem fez o que não poderia ter feito enquanto estava na Terra: tornar-se um com aqueles que amou; na verdade, viver a vida deles por eles, para que pudessem viver diante do Pai em humildade como Ele, pois era Jesus quem vivia e respirava neles.

E no Pentecostes Ele veio e tomou posse. O trabalho de preparação e persuasão, o despertar do desejo e esperança que Seu ensinamento efetuou, foi aperfeiçoado pela poderosa transformação que o Pentecostes trouxe. E a vida e epístolas de Tiago, Pedro e João trazem a evidência de que tudo mudou, e de que o espírito do manso e sofredor Jesus havia, de fato, se apoderado deles.

O que podemos dizer dessas coisas? Entre meus leitores, tenho certeza de que há mais de um tipo de pessoa. Deve haver alguns que nunca pensaram ainda muito especialmente sobre o assunto, e não podem perceber, de uma vez, sua imensa importância como uma questão de vida para a Igreja e para todos os seus membros. Há outros que se sentiram condenados por suas fraquezas e se esforçaram, apenas para falhar e ser desencorajados. Outros podem ser capazes de dar alegres testemunhos de bênção e poder espirituais, e ainda assim nunca ter havido a convicção necessária, a qual aqueles à sua volta percebem ainda estar ausente. E ainda outros podem ser capazes de testemunhar que, no que diz respeito a essa graça, o Senhor deu libertação e vitória, mesmo enquanto Ele os ensinava quanto ainda precisavam da plenitude de Jesus e podiam esperar por ela.

Não importando a que classe pertençamos, devo frisar a urgente necessidade que há para toda nossa busca de uma profunda convicção do lugar único que a humildade possui na religião de Cristo[2], e a absoluta impossibilidade de a Igreja ou de o crente ser o que Cristo gostaria que eles fossem, enquanto *Sua humildade não é reconhecida como Sua principal glória, Seu primeiro mandamento e nossa mais elevada bênção.* Vamos considerar profundamente quão longe os discípulos haviam conseguido ir enquanto essa graça estava ainda tão terrivelmente ausente, e vamos orar a Deus para que somente outros dons não nos satisfaçam, para que nunca nos apeguemos ao fato de que a ausência dessa graça é a chave pela qual o poder de Deus não pode realizar sua poderosa obra. É somente ali que nós, como o Filho, verdadeiramente sabemos e mostramos que nada podemos fazer por nós mesmos e Deus fará tudo.

É quando a verdade de um Cristo que habita interiormente toma o lugar pelo qual ela clama na experiência dos crentes que a Igreja colocará suas belas vestes e a humildade será vista em seus mestres e membros como a beleza da santidade.

---

[1] Ou teólogos.
[2] No sentido positivo de fé cristã.

CAPÍTULO 6

A HUMILDADE
na vida diária

---

*Aquele que não ama a
seu irmão, a quem vê, não pode amar a Deus,
a quem não vê.*
—1 JOÃO 4:20

HUMILDADE

Que pensamento solene é este: que nosso amor a Deus será medido pelo nosso contato diário com os homens e o amor que Ele exibe; e que nosso amor a Deus será tido como uma desilusão, exceto quando sua verdade é provada nas situações de teste da vida diária com homens como nós. Também é assim com nossa humildade. É fácil pensar em nos humilharmos diante de Deus, mas a humildade diante dos homens será a única prova suficiente de que nossa humildade diante de Deus é genuína, de que a humildade tem feito sua morada em nós e torna-se nossa própria natureza, prova de que nós, na verdade, como Cristo, fizemos de nós mesmos pessoas sem reputação.

Quando, na presença de Deus, a humildade de coração torna-se não uma postura que assumimos por um tempo, quando pensamos nEle ou oramos a Ele, mas o próprio espírito de nossa vida, isso se manifestará em todo o "conduzir adiante" nossos irmãos. A lição é de profunda importância: a única humildade que é realmente nossa não é aquela que tentamos mostrar diante de Deus em oração, mas aquela que carregamos conosco, e sustentamos, em nossa conduta comum; as insignificâncias da vida diária são a importância e os testes da eternidade, pois elas provam qual é realmente o espírito que nos domina. É na maioria de nossos momentos desprotegidos[1] que realmente mostramos e vemos o que somos. Para conhecer o homem humilde, para conhecer como o homem humilde se comporta, você tem de segui-lo na vida comum de seu dia a dia.

Não foi isso que Jesus ensinou? Quando os discípulos disputaram quem seria o maior, quando o Senhor viu como os fariseus amavam os primeiros lugares nos banquetes e os primeiros bancos nas sinagogas, quando Ele lhes deu o exemplo ao lavar-lhes os pés, aí Ele ensinou Suas lições de humildade. A humildade diante de Deus não é nada se não for provada em humildade diante dos homens.

É também assim nos ensinamentos de Paulo. Aos romanos, ele escreveu: "Preferindo-vos em honra *uns aos outros*" (12:10); "Em lugar de serdes orgulhosos, condescendei com *o que é humilde*" (12:16); "Não sejais sábios aos vossos próprios olhos" (12:16). Aos coríntios: "O amor", e não há amor algum sem a humildade como raiz, "não se ufana, não se ensoberbece, não procura os seus interesses, não se exaspera" (1 CO 13:4,5). Aos gálatas: "Sede servos *uns dos outros*, pelo amor [...]. Não nos deixemos possuir de vanglória, provocando *uns aos outros*, tendo inveja *uns dos outros*" (5:13,26). Aos efésios, imediatamente após três maravilhosos capítulos sobre a vida celestial: "Andeis [...] com toda humildade e mansidão, com longanimidade, suportando-vos *uns aos outros* em amor" (4:2); "Dando sempre graças por tudo [...], sujeitando-vos *uns aos outros* no temor de Cristo" (5:20,21). Aos filipenses: "Nada façais por partidarismo, ou vanglória, mas por humildade, considerando *cada um os outros* superiores a si mesmo [...]. Tende em vós o mesmo sentimento que houve também em Cristo Jesus [...] a si mesmo se esvaziou, assumindo a forma de servo [...] e a si mesmo se humilhou" (2:3,5,7,8). E aos colossenses: "Revesti-vos de ternos afetos de misericórdia, de bondade, de humildade, de mansidão, de longanimidade. Suportai-vos *uns aos outros*, perdoai-vos mutuamente [...] assim como o Senhor vos perdoou" (3:12,13). É em nossa relação uns com os outros, em nosso tratamento uns para com os outros, que a verdadeira humildade de mente e o coração de humildade serão vistos. Nossa humildade diante de Deus não tem valor, mas nos prepara para revelar a humildade de Jesus aos homens como nós. Vamos estudar a humildade no viver diário à luz dessas palavras.

O homem humilde busca a todo tempo agir de acordo com a regra: "Em honra preferindo-vos uns aos outros; servos uns dos outros; considerando cada um os outros superiores a si mesmo; sujeitando-vos uns aos outros". A pergunta frequentemente feita é: "Como podemos considerar outros superiores a nós mesmos quando entendemos que eles estão muito abaixo de nós em sabedoria e santidade, em dons naturais ou em graça recebida?". Esse assunto prova instantaneamente que compreendemos pouquíssimo o que é a genuína humildade de mente. A verdadeira humildade vem quando, à luz de Deus, vemos que não somos nada, consentindo em desistir e nos desfazer de nós mesmos para permitir que Deus seja tudo. A alma que fez isso e pode dizer: "Eu me perdi encontrando a ti", não mais se compara com outros. Ela desistiu para sempre de todo pensamento do ego na presença de Deus; ela encontra os homens comuns como alguém que não é nada e não busca nada para si mesma; ela é um servo de Deus e, por causa dEle, um servo de todos.

Um servo fiel pode ser mais sábio que o mestre e, ainda assim, conservar o verdadeiro espírito e postura do servo. O homem humilde respeita cada filho de Deus, mesmo o mais débil e o mais indigno, e honra-o e o prefere em honra como o filho de um Rei. O espírito dAquele que lavou os pés dos discípulos faz com que nos seja, de fato, uma alegria sermos os menores, sermos servos uns dos outros.

O homem humilde não sente ciúmes ou inveja. Ele pode louvar a Deus quando outros são preferidos e abençoados antes de ele ser. Ele pode suportar ouvir outros sendo louvados e ele sendo esquecido, pois na presença de Deus ele aprendeu a dizer como Paulo: "Nada sou" (2 CO 12:11). Ele recebeu o espírito de Jesus — que não agradou a si mesmo e não buscou a Sua própria honra — como o espírito de sua vida.

Entre o que são consideradas tentações para haver impaciência e irritação, para haver opiniões severas e palavras bruscas, tentações que vêm de falhas e pecados de cristãos, o homem humilde carrega a determinação frequentemente repetida em seu coração, e mostra isso em sua vida: "Suportai-vos uns aos outros, perdoai-vos mutuamente, [...] assim como o Senhor vos perdoou". Ele aprendeu que, revestindo-se do Senhor Jesus, ele se revestiu "de ternos afetos de misericórdia, de bondade, de humildade, de mansidão, de longanimidade". Jesus tomou o lugar do ego, e não é impossível perdoar como Jesus perdoou. A humildade de Jesus não consiste meramente em opiniões ou palavras de autodepreciação, mas, como Paulo afirma, "em um coração de humildade", envolto por compaixão e amabilidade, mansidão e longanimidade, a doce e humilde gentileza reconhecida como a marca do Cordeiro de Deus.

Em esforçar-se por ter as experiências mais elevadas da vida cristã, o crente está frequentemente sob o perigo de visar e de se regozijar no que alguém pode chamar de a virtude mais humana e valorosa, como ousadia, alegria, desprezo ao mundo, zelo, autossacrifício — até mesmo os antigos estoicos ensinaram e praticaram isso —, enquanto as mais profundas e gentis, as mais divinas e mais celestiais graças, aquilo que Jesus primeiro ensinou sobre a Terra, pois as trouxe do Céu, aquilo que está mais evidentemente ligado à Sua cruz e com a morte do ego — pobreza de espírito, mansidão, humildade, modéstia — são raramente consideradas ou valorizadas. Portanto, vamos nos revestir de um coração de compaixão, bondade, humildade, mansidão, longanimidade, e vamos provar nossa semelhança com Cristo, não apenas em nosso zelo por salvar o perdido, mas antes de tudo em nosso relacionamento com os irmãos, suportando e perdoando uns aos outros, *assim como o Senhor nos perdoou*.

Vamos estudar a imagem na Bíblia relacionada ao homem humilde. E vamos perguntar a nossos irmãos, e perguntar ao mundo, se eles reconhecem em nós a semelhança com o original. Vamos nos contentar com nada menos do que tomar cada um desses textos como a promessa do que Deus trabalhará em nós, como a revelação em palavras do que o Espírito de Jesus nos dará como um começo em nosso interior. E vamos, em cada falha e fraqueza, simplesmente nos apressar em nos tornar humildes e mansos para o manso e humilde Cordeiro de Deus, na certeza de que onde Ele é entronizado no coração, Sua humildade e bondade serão uma das torrentes de água viva que fluem de dentro de nós.

> "Conheci Jesus, e Ele era muito precioso para minha alma. Mas encontrei algo em mim que não seria mantido doce e paciente e bondoso. Fiz o que pude para reprimir, mas isso estava lá. Supliquei a Jesus que fizesse alguma coisa por mim, e quando entreguei a Ele meu desejo, Ele veio ao meu coração, e tirou tudo que não era doce, tudo que não era bondoso, tudo que não era paciente, e depois Ele fechou a porta". —GEORGE FOXE

Uma vez mais repito o que já havia dito antes. Sinto profundamente que temos pouquíssima percepção do que a Igreja sofre por causa da falta dessa humildade divina, o *nada ser* que dá lugar para Deus provar Seu poder. Não faz muito tempo desde que um cristão, com humilde e amável espírito, comunicou-se com muitas agências missionárias de várias comunidades e expressou sua profunda tristeza, pois em alguns deles o espírito de amor e tolerância estava tristemente ausente. Homens e mulheres que, na Europa, poderiam escolher seu próprio círculo de amigos, acham difícil suportar, amar e manter a unidade do Espírito no vínculo da paz por estar próximos de outros com mente incompatível. E aqueles que deveriam ter sido companheiros e ajudadores da alegria uns dos outros se tornaram obstáculo e enfado. E tudo por esta única razão: a falta da humildade que se considera nada, que se regozija em tornar-se e ser considerada como a menor, e busca apenas, como Jesus, ser o servo, o auxiliar e o confortador de outros, até dos mais fracos e mais indignos.

E como pode de homens que têm alegremente desistido deles mesmos por Cristo acharem tão difícil desistir deles mesmos por seus irmãos? Isso não é culpa da Igreja? Pois ela tem ensinado tão pouco a seus filhos que a humildade de Cristo é a primeira das virtudes, a melhor de todas as graças e poderes do Espírito. A Igreja tem provado tão pouco que a humildade de Cristo é o que ela, como Cristo, afirma e prega em primeiro lugar como o que é, de fato, necessário e também possível. Mas não vamos ficar desencorajados. Permitamos que a descoberta da ausência dessa graça nos conduza a maior expectativa de Deus. Consideremos todo irmão que nos tenta ou irrita como meio da graça de Deus, instrumento de Deus para nossa purificação, para nosso exercício da humildade que Jesus, nossa Vida, soprou em nosso interior. E vamos ter tal fé no tudo de Deus e no nada do ego para que, como nada aos nossos próprios olhos, no poder de Deus, busquemos somente servir uns aos outros em amor.

---

[1] Referindo-se aos momentos da vida diária que nos pegam de surpresa, que nos revelam como realmente somos, quando não podemos impedir de manifestar o que somos.

CAPÍTULO 7

HUMILDADE
e Santidade

---

*Povo que diz: Fica onde estás,
porque sou mais santo que tu.*
—ISAÍAS 65.5

HUMILDADE

Falamos sobre o Movimento de Santidade em nosso tempo e louvamos a Deus por isso. Ouvimos de muitos buscadores da santidade e mestres da santidade, de ensinamento de santidade e reuniões de santidade. As verdades abençoadas da santidade em Cristo, e santidade pela fé, são enfatizadas como nunca antes. O maior teste para vermos se a santidade que professamos buscar ou atingir é *verdade e vida será ela ser manifesta na humildade crescente que ela produz*. Na criatura, a humildade é a única coisa necessária para permitir que a santidade de Deus habite nela e brilhe por meio dela. Em Jesus, o Santo de Deus que nos faz santos, a humildade divina era o segredo de Sua vida, de Sua morte e de Sua exaltação; o único teste infalível da nossa santidade será a humildade diante de Deus e dos homens que nos caracteriza. A humildade é a força e a beleza da santidade.

A principal marca da santidade falsificada é sua falta de humildade. Todo aquele que busca a santidade precisa estar vigiando, a fim de que não aconteça que, inconscientemente, o que foi começado no espírito seja aperfeiçoado na carne e o orgulho rasteje onde sua presença é menos esperada. Dois homens foram ao Templo para orar: um era fariseu e o outro publicano. Não há posição ou lugar mais sagrado, mas o fariseu pode entrar lá. O orgulho pode chegar-lhe à cabeça dentro do próprio Templo de Deus e fazer da adoração a Ele a cena da autoexaltação do fariseu. Uma vez que Cristo expôs o orgulho do fariseu, este pôs a veste do publicano[1], e o confessor de profunda pecaminosidade, bem como o que professava a santidade mais elevada, deve estar alerta.

Apenas quando estamos muitíssimos ansiosos para ter nosso coração como um templo de Deus poderemos encontrar os dois homens subindo ao Templo para orar. E o publicano constatará que o perigo para si não é proveniente do fariseu ao seu lado, que o despreza, mas do fariseu interior que elogia e exalta. No Templo de Deus, quando pensamos que estamos no Santo dos Santos, na presença de Sua santidade, vamos acautelar-nos do orgulho. "Num dia em que os filhos de Deus vieram apresentar-se perante o Senhor, veio também Satanás entre eles" (JÓ 1.6).

"Ó Deus, graças te dou porque não sou como os demais homens [...] nem ainda como este publicano" (LC 18.11). O ego acha razão para sua satisfação naquilo que é apenas o motivo para as ações de graças, nas próprias ações de graça que rendemos a Deus e na própria confissão de que Deus fez tudo isso. Sim, até mesmo no Templo, quando a linguagem de penitência e confiança somente na misericórdia de Deus é ouvida, o fariseu pode começar a louvar e, agradecendo a Deus, estar congratulando a si mesmo. O orgulho pôde trajar-se com vestes de louvor ou de penitência. Até quando as *palavras* "não sou como os demais homens" são rejeitadas e condenadas, o espírito delas pode também, muitas vezes, ser encontrado em nossos sentimentos e linguagem diante de outros adoradores e homens como nós.

Se você deseja saber se isso é realmente assim, apenas ouça a maneira como as igrejas e os cristãos geralmente falam uns dos outros. Quão pouco da mansidão e bondade de Jesus é vista. Tão pouco é lembrado de que a humildade profunda tem de ser o princípio predominante do que os servos de Jesus dizem deles mesmos ou uns dos outros. Não há muitas igrejas ou assembleias de santos, muitas missões ou conferências, muitas sociedades ou comitês, até mesmo muitas missões nas distantes terras de idolatria, nas quais a harmonia tem sido perturbada e a obra de Deus impedida? E isso não ocorre porque os homens que são considerados santos provaram em suscetibilidade, precipitação e impaciência, em autodefesa e autoafirmação, em julgamentos severos e palavras grosseiras que eles não consideram outros melhores que eles mesmos, e que sua santidade tem pouco da mansidão dos santos[2]?

Em sua história espiritual, os homens podem ter tido momentos de grande humilhação e quebrantamento, mas isso é muito diferente de ser revestido de humildade, de ter espírito humilde, de ter a humildade de mente em que cada um considera a si mesmo o servo dos outros e, assim, mostra publicamente a própria mente que está também em Jesus Cristo.

"Fica onde estás, porque sou mais santo que tu!" Que paródia sobre a santidade! Jesus, o Santo, é o Humilde: o mais santo será sempre o mais humilde. Não há nenhum santo a não ser Deus: temos tanto de santidade quanto temos de Deus. E de acordo com o que temos de Deus, essa será nossa real humildade, pois a humildade não é nada senão o desaparecimento do ego na visão de que Deus é tudo. O mais santo será o mais humilde. Ah! Apesar da ostentação audaciosa dos judeus dos dias de Isaías não ser encontrada frequentemente — até nossa conduta nos ensinou a não falar assim —, quantas vezes seu espírito ainda é visto, quer no tratamento com nossos companheiros santos, quer no tratamento com os filhos do mundo. No espírito no qual opiniões são dadas, e trabalho é empreendido, e faltas são expostas, quantas vezes, apesar de a aparência ser a daquele publicano, a voz ainda é a do fariseu: "Ó Deus, graças te dou porque não sou como os demais homens".

Então, há tamanha humildade a ser encontrada, pela qual os homens, de fato, considerem a si mesmos "menores que o menor de todos os santos" (EF 3:8), os servos de todos? Há. "O amor não se ufana, não se ensoberbece, não procura os seus interesses" (1 CO 13:4,5). Onde o espírito de amor é derramado amplamente no coração, onde a natureza divina vem para o pleno começo, onde Cristo, o manso e humilde Cordeiro de Deus, é verdadeiramente formado no interior, aí é dado o poder de um perfeito amor, que esquece de si mesmo e acha sua bênção em abençoar outros, em suportá-los e honrá-los, não importa quão fracos sejam. Onde esse amor adentra, Deus entra. E onde Deus entrou em Seu poder, e revela a si mesmo como tudo, a criatura torna-se nada. E onde a criatura se torna nada diante de Deus, ela não pode ser nada a não ser humilde diante de outras criaturas como ela. A presença de Deus torna-se não algo ocasional, de tempos ou temporadas, mas a cobertura sob a qual a alma sempre habita, e sua profunda humilhação diante de Deus torna-se o santo lugar de Sua presença de onde todas as palavras e obras dela procedem.

Que Deus nos ensine que nossas opiniões, palavras e sentimentos com respeito aos outros homens são Seu teste de nossa humildade diante dEle, e que nossa humildade diante dEle é o único poder que nos capacita a ser sempre humildes com os homens. Nossa humildade tem de ser a vida de Cristo, o Cordeiro de Deus, em nosso interior.

Que todos os mestres de santidade, quer no púlpito, quer na plataforma, e todos os buscadores da santidade, quer em secreto, quer na convenção, tomem cuidado. Não há orgulho tão perigoso, pois nenhum é tão sutil e traiçoeiro como o orgulho da santidade. Não é que o homem sempre diga ou sempre pense: "Fique onde está; sou mais santo que você". Não, na verdade, esse pensamento é tratado com aversão. Mas lá cresce, inconscientemente, um hábito oculto da alma, que sente satisfação em seus feitos e não pode ajudar outros por ver quão avançada está em relação a eles.

Isso pode ser percebido, não sempre numa especial autoafirmação ou autoexaltação, mas simplesmente na falta daquela profunda auto-humilhação que não pode ser senão a marca da alma que viu a glória de Deus (JÓ 42:5,6; IS 6:5). Isso revela a si mesmo, não apenas em palavras ou pensamentos, mas num tom, numa maneira de falar de outros, na qual aqueles que têm o dom de discernimento espiritual não podem fazer outra coisa a não ser perceber o poder do ego. Até o mundo, com seus olhos penetrantes, observa isso e aponta para isso como uma prova de que o professar de vida celestial não produz nenhum fruto celestial especial.

Ó irmãos! Que nos acautelemos. A menos que façamos com que cada avanço no que pensamos ser santidade corresponda ao crescimento da humildade, perceberemos que temos nos deleitado em belos pensamentos e sentimentos, em atos solenes de consagração e fé, enquanto a única marca segura da presença de Deus, o desaparecimento do ego, esteve o tempo todo ausente. Venham e corramos para Jesus a fim de nos escondermos nEle até que sejamos revestidos com Sua humildade. Somente isso é nossa santidade.

---

[1] No sentido de que no fariseu foi encontrado o pecado que ele atribuía ao publicano.

[2] N.E.: "Eu é um personagem muitíssimo exigente, requerendo o melhor assento e o lugar mais elevado para si mesmo, e sentindo-se dolorosamente ferido se seu clamor não for reconhecido. A maioria das discórdias entre obreiros cristãos surgem do protesto desse gigantesco Eu. Quão poucos de nós entendemos o verdadeiro segredo de tomar nosso lugar nos salões mais humildes". —Sr. Smith, *Religion Everyday*

CAPÍTULO 8

HUMILDADE
e Pecado

...pecadores, dos quais eu sou o principal.
—1 TIMÓTEO 1:15

HUMILDADE

A humildade é frequentemente identificada como penitência e contrição. Como consequência, parece não haver outra maneira de cultivar a humildade a não ser mantendo a alma ocupada com seu pecado. Aprendemos, penso, que a humildade é algo diferente e além disso. Vimos no ensinamento de nosso Senhor Jesus e das epístolas do Novo Testamento quantas vezes a virtude é demonstrada sem nenhuma referência ao pecado. Na própria natureza das coisas, na relação completa da criatura com o Criador, na vida de Jesus como Ele a viveu e a compartilha conosco, a humildade é a própria essência da santidade como o é da bênção. Isso é a destituição do ego pela entronização de Deus. Onde Deus é tudo, o ego é nada.

Mas, apesar de esse ser o aspecto da verdade que senti ser especialmente necessário destacar, preciso dizer, de maneira rápida, o que a profundeza e intensidade do pecado do homem e da graça de Deus dão à humildade dos santos. Temos apenas de olhar para um homem como o apóstolo Paulo para ver como, por meio de sua vida como um homem remido e santo, ele vive inextinguivelmente a profunda percepção de ter sido um pecador. Conhecemos as passagens nas quais ele se refere à sua vida como um perseguidor e blasfemo. "Eu sou *o menor dos apóstolos*, que mesmo *não sou digno de ser chamado apóstolo*, pois persegui a Igreja de Deus [...]. Trabalhei muito mais do que todos eles; todavia não eu, mas a graça de Deus comigo" (1 CO 15:9,10). "A mim, *o menor de todos os santos*, me foi dada esta graça de pregar aos gentios..." (EF 3:8). "...a mim, que, noutro tempo, era *blasfemo, e perseguidor, e insolente*. Mas obtive misericórdia, pois o fiz na ignorância, na incredulidade [...]. Cristo Jesus veio ao mundo para salvar os *pecadores, dos quais eu sou o principal*" (1 TM 1:13,15).

A graça de Deus o salvou; Deus nunca mais se lembrou do seu pecado; mas Paulo nunca, nunca poderia esquecer quão terrivelmente havia pecado. Quanto mais ele se regozijava na salvação de Deus, e mais sua experiência da graça de Deus o preenchia com alegria indizível, mais clara era sua percepção de que ele era um pecador salvo e de que a salvação não tinha significado ou doçura, exceto pelo fato de ele ser um pecador fazer que isso lhe fosse precioso e real. Nunca, nem por um momento, Paulo poderia esquecer que foi um pecador que Deus tomou nos braços e coroou com Seu amor.

Os textos que acabamos de citar são frequentemente mencionados como a confissão de Paulo do seu pecar diário. Você tem apenas de lê-los atentamente em seu contexto para ver quão pouca relação eles têm com isso. Esses versículos têm um significado amplamente profundo, pois se referem ao que dura pela eternidade e dará seu profundo e suave som de assombro e adoração à humildade com a qual o remido adora diante do trono, como aquele que foi lavado de seus pecados no sangue do Cordeiro.

Nunca, nunca, nem mesmo na glória, eles podem ser outra coisa a não ser pecadores redimidos; nunca, nem por um momento nessa vida, o filho de Deus pode viver na luz plena de Seu amor a não ser quando sente que o pecado, do qual foi salvo, é seu único direito e título para tudo que a graça prometeu fazer. A humildade com a qual primeiro ele apareceu como um pecador diante de Deus adquire um novo significado quando ele aprende como ela o tornou uma criatura. E depois, continuamente, a humildade, na qual ele nasceu como uma criatura, tem sua mais profunda, mais rica forma de adoração, na memória de que deve ser um monumento do maravilhoso amor redentor de Deus.

A verdadeira importância do que essas expressões de Paulo nos ensinam vem-nos mais fortemente quando reparamos o notável fato de que, por meio de toda a sua trajetória cristã, nunca achamos, da ponta de sua pena, nem mesmo naquelas epístolas em que temos suas mais intensas confissões pessoais, qualquer coisa como confissão de pecado. Em nenhum lugar há menção de fraqueza ou defeito, em nenhum lugar alguma sugestão aos seus leitores de que ele tenha falhado em obrigação ou tenha pecado contra a lei do perfeito amor. Ao contrário, há passagens, não poucas, nas quais ele vindica a si mesmo em linguagem que nada significa se não apela para a vida sem falta diante de Deus e dos homens. "Vós e Deus sois testemunhas do modo por que piedosa, justa e irrepreensivelmente procedemos em relação a vós outros que credes" (1 TS 2:10). "Porque a nossa glória é esta: o testemunho da nossa consciência, de que com santidade e sinceridade de Deus, não com sabedoria humana, mas na graça divina, temos vivido no mundo, e mais especialmente para convosco" (2 CO 1:12). Isso não é um ideal ou uma inspiração; é um apelo para aquilo que sua verdadeira vida foi. Por mais que possamos considerar essa falta de confissão de pecado, todos admitirão que isso tem de apontar para a vida no poder do Espírito Santo, tanto que raramente é percebida ou esperada em nossos dias.

O ponto que desejo enfatizar é este: que o próprio fato da carência de tal confissão somente dá mais força para a verdade de que não é no pecar diário que o segredo da humildade profunda será encontrado, mas na habitual posição, nunca, nem por um momento, pode ser esquecida, a qual tão somente a mais abundante graça manterá mais distintamente vivo[1] o fato de que nosso único lugar, o único lugar de bênção, nossa única posição de habitar diante de Deus, tem de ser aquela daqueles cuja maior alegria é confessar que são pecadores salvos pela *graça*.

A profunda recordação de Paulo de haver pecado tão terrivelmente no passado, antes de a graça encontrá-lo, e a consciência de ser guardado de pecar presentemente estavam continuamente ligadas à lembrança permanente do poder oculto do pecado sempre pronto para aparecer, e só afastado pela presença e poder do Cristo que habita interiormente. "Em mim, isto é, na minha carne, não habita bem nenhum": essas palavras de Romanos 7 descrevem a carne como sempre ela será.

A gloriosa libertação encontrada em Romanos 8:2 — "A Lei do Espírito da vida em Cristo Jesus me livrou da lei do pecado", a qual me havia capturado — não é nem a aniquilação nem a santificação da carne, mas uma vitória contínua dada pelo Espírito quando Ele mortifica os feitos dela no corpo. Como a saúde expele a doença, e a luz traga as trevas e a vida vence a morte, o habitar interior de Cristo por meio do Espírito é a saúde e luz e vida da alma. Mas com isso, a convicção da possibilidade de abandono e perigo sempre tempera a fé de alguém na ação passageira ou contínua do Espírito Santo, dando-lhe aquele senso simples de dependência que faz a fé superior e alegra as criaturas com a humildade que vive apenas pela *graça de Deus*.

Todas as três passagens anteriormente citadas mostram que foi a maravilhosa graça concedida a Paulo, e da qual ele sentia necessidade a todo momento, que o humilhava tão profundamente. A graça de Deus que estava nele e o capacitava a laborar mais abundantemente do que todos os outros, a graça para pregar aos idólatras as insondáveis riquezas de Cristo, a graça que excedia em abundância com a fé e o amor que estão em Cristo Jesus: isso era essa graça, da qual é a própria natureza e glória ser para pecadores, a qual mantinha tão intensamente viva a consciência de ele ter pecado uma vez e de ser sujeito a pecar. "...onde abundou o pecado, superabundou a graça..." (RM 5:20).

Isso revela quanto a própria essência da graça é lidar com o pecado e afastá-lo, e como ela deve sempre ser: quanto mais abundante a experiência de graça, mais intensa a consciência de ser um pecador. Não é o pecado, mas é a graça de Deus mostrando a um homem e sempre o lembrando de que foi pecador que irá mantê-lo verdadeiramente humilde. Não é o pecado, mas é a graça que me fará, de fato, conhecer-me como um pecador, e fará do lugar da mais profunda auto-humilhação do pecador o lugar que nunca deixarei.

Temo que haja muitos que, pelas fortes expressões de autocondenação e autoacusação, têm buscado humilhar-se, e têm de confessar, com pesar, que o espírito humilde — o "coração de humildade", que é acompanhado de bondade e compaixão, de mansidão e tolerância — ainda está tão longe como sempre esteve. Estar ocupado com o ego, mesmo na mais profunda autoaversão, não pode nunca nos livrar do ego. É a revelação de Deus, não apenas pela Lei condenando o pecado, mas pela Sua graça *libertando* dele, que nos fará humildes.

A Lei pode abater o coração com temor, mas é apenas a graça que trabalha aquela doce humildade que se torna uma alegria para a alma como sua segunda natureza. Foi a revelação de Deus em Sua santidade, aproximando-se para fazer a si mesmo conhecido em Sua graça, que fez Abraão e Jacó, Jó e Isaías, curvarem-se tão baixo. É a alma na qual Deus, o Criador, como o tudo da criatura no nada ser desta, Deus, o Redentor, em Sua graça, como o tudo do pecador em sua pecaminosidade, é esperado, confiado e adorado, que encontrará a si mesmo tão preenchido com Sua presença, que não haverá lugar para o ego. Somente, então, a promessa poderá ser cumprida: "Os olhos altivos dos homens serão abatidos, e a sua altivez será humilhada; só o Senhor será exaltado naquele dia" (IS 2:11).

Isso é o pecador habitando na plena luz do amor redentor e santo de Deus, na experiência daquele habitar interior pleno do amor divino que vem por meio de Cristo e do Espírito Santo, que não pode ser nada a não ser humilde. Não estar ocupado com o pecado, mas estar ocupado com Deus, traz-nos libertação do ego.

---

[1] Ou ativo.

CAPÍTULO 9

HUMILDADE
e Fé

---

*Como podeis crer,
recebendo honra uns dos outros,
e não buscando
a honra que vem só de Deus?*
—JOÃO 5.44

HUMILDADE

Em uma pregação que ouvi recentemente, o palestrante disse que as bênçãos da vida cristã mais elevada eram frequentemente como os objetos expostos em uma vitrina de loja: você poderia vê-los claramente, mas não poderia tocá-los. Se fosse dito a um homem para estender a mão e pegar, ele responderia: "Não posso; há uma grossa vidraça espelhada entre mim e eles".

Mesmo os cristãos podem ver claramente as abençoadas promessas de paz perfeita e repouso, de amor e alegria transbordantes, de permanente comunhão e frutificação e ainda sentir que há algo no meio obstruindo a verdadeira posse. E o que seria isso? *Nada a não ser o orgulho*. As promessas feitas à fé são tão livres e certas, os convites e encorajamentos tão fortes, o maravilhoso poder de Deus com que a fé pode contar está tão perto e acessível que o que impede que a bênção seja nossa só pode ser *algo que impede a fé*.

No texto bíblico mencionado, Jesus revela para nós que é, de fato, o orgulho que faz a fé impossível. "Como podeis crer, vós os que aceitais glória uns dos outros?" Quando virmos como, em natureza, o orgulho e a fé são irreconciliáveis por sua divergência, aprenderemos que a fé e a humildade são um na raiz e que nunca podemos ter mais de verdadeira fé do que temos de verdadeira humildade; devemos ver que podemos, na verdade, ter uma forte convicção intelectual e segurança da verdade enquanto o orgulho é mantido no coração, mas que isso faz da fé viva, que tem o poder de Deus, uma impossibilidade.

Precisamos somente pensar por um momento no que é a fé. Não é a confissão do nada ser e de abandono, não é a entrega e a espera para deixar Deus agir? Não é em si mesma a coisa mais humilhante que pode haver: a aceitação de nossa posição como dependentes, que não podem clamar ou conseguir ou fazer nada a não ser o que a graça concede? A humildade é simplesmente a disposição que prepara a alma para viver em confiança. E tudo, até mesmo o mais secreto sopro de orgulho, na forma de busca de si mesmo, vontade própria, confiança em si mesmo ou autoexaltação, é apenas o fortalecimento do fato de que o ego não pode entrar no Reino nem possuir as coisas do Reino, pois se recusa a permitir que Deus seja o que Ele é e tem de ser ali: Tudo em todos.

Fé é o órgão ou sentido para percepção e apreensão do mundo celestial e de suas bênçãos. A fé busca a glória que vem de Deus, que vem apenas de onde Deus é tudo. Enquanto aceitarmos glória uns dos outros, enquanto buscarmos e amarmos sempre e guardarmos zelosamente a glória dessa vida — a honra e a reputação que vêm dos homens — não buscamos, e não podemos receber, a glória que vem de Deus. O orgulho torna a fé impossível. A salvação vem por meio de uma cruz e do Cristo crucificado. A salvação é a comunhão, no Espírito de Sua cruz, com o Cristo crucificado. A salvação é a união com a humildade de Jesus e o deleite nela, salvação é a participação na humildade de Jesus. Não é admirável que nossa fé seja tão débil quando o orgulho ainda reina tanto, que ainda não tenhamos aprendido que a humildade é a mais necessária e abençoada parte da salvação, e que nem oramos por isso?

HUMILDADE

A humildade e a fé estão mais intimamente associadas nas Escrituras do que muitos pensam. Veja isso na vida de Cristo. Há dois casos nos quais Ele falou de uma grande fé. A do centurião, cuja fé Ele se maravilhou dizendo: "Em verdade vos afirmo que nem mesmo em Israel achei fé como esta", Esse oficial não lhe falou: "Senhor, *não sou digno* de que entres em minha casa"? E a mãe para quem o Senhor disse: "Oh, mulher, grande é a tua fé!", não aceitou ser chamada de cachorrinho ao declarar: "Sim, Senhor, porém os cachorrinhos comem das migalhas"? Isso é a humildade que leva a alma a ser nada diante de Deus, que também remove todo impedimento à fé e faz com que o único temor seja desonrar o Senhor por não confiar nEle integralmente.

Não temos aqui a causa do fracasso na busca da santidade? Não é isso que faz nossa consagração e nossa fé tão superficiais e de vida tão curta? Não tínhamos ideia de que orgulho e ego extensos ainda estavam trabalhando secretamente dentro de nós, e como somente Deus, por Sua entrada e Seu maravilhoso poder, poderia expulsá-los. Não entendíamos como nada, a não ser a nova e divina natureza tomando inteiramente o lugar do velho ego, poderia nos fazer realmente humildes. Não sabíamos que a humildade absoluta, incessante, universal tem de ser a raiz-disposição de toda oração e todo acesso a Deus assim como de todo tratamento com o homem, e que podemos ver sem olhos ou viver sem respirar tanto como crer ou nos aproximar de Deus ou habitar em Seu amor, sem a humildade permeando tudo e humildade[1] de coração.

Não cometemos um erro ao encontrar tantos problemas para crer, enquanto todo o tempo havia o velho ego em seu orgulho buscando possuir para si mesmo as bênçãos e riquezas de Deus? Não admira que não pudéssemos crer! Vamos mudar nosso comportamento. Vamos buscar, antes de tudo, humilhar-nos sob a poderosa mão de Deus: *Ele nos exaltará*. A cruz, a morte e o sepulcro, nos quais Jesus se humilhou, eram Seu caminho para a glória de Deus. E são nosso caminho também. Vamos desejar unicamente e orar fervorosamente por sermos humilhados com Ele e como Ele; vamos aceitar alegremente o que quer que possa nos humilhar diante de Deus e dos homens — esse é o único caminho para a glória de Deus.

Talvez alguém se sinta inclinado a fazer uma pergunta. Falei de alguns que tiveram experiências abençoadas ou são os instrumentos para levar bênção aos outros e, ainda assim, são carentes de humildade. Alguém pode perguntar se isso não prova que eles têm fé verdadeira, e até forte, apesar de mostrarem tão claramente que ainda buscam muito a honra que vem dos homens. Há mais de uma resposta que pode ser dada. Mas a principal resposta em nosso presente contexto é esta: eles, de fato, têm uma medida de fé, na proporção da qual, com os dons especiais dados a eles, é a bênção que eles trazem para outros.

Mas apesar da bênção que trazem, a eficácia da fé deles é impedida por causa da ausência de humildade. A bênção é frequentemente superficial ou transitória, apenas porque eles não são o nada que abre o caminho para Deus ser tudo. Uma profunda humildade traz, sem dúvida, uma mais profunda e plena bênção. O Espírito

HUMILDADE

Santo, não apenas trabalhando neles como um Espírito de poder, mas habitando neles na plenitude de Sua graça, especialmente a graça da humildade, por meio deles, transmitiria a si mesmo a esses convertidos para uma vida de poder e santidade e firmeza, o que é pouquíssimo visto atualmente.

"Como podeis vós crer, recebendo glória uns dos outros?" Nada pode curá-lo do desejo de receber glória dos homens, ou da sensibilidade, dor e raiva que vêm quando ela não é dada, a não ser entregar a si mesmo para buscar somente a glória que vem de Deus. Permita que a glória do Deus Todo-Glorioso seja tudo para você. Assim será liberto da glória dos homens e do ego e estará contente e alegre em ser nada. Nesse nada, você crescerá forte na fé, dando glória a Deus, e irá descobrir que quanto mais profundamente mergulhar em humildade diante de Deus, mais perto Ele está para satisfazer todo desejo de sua fé.

---

[1] Ou estado de ser pequeno, baixo, vil, inferior.

CAPÍTULO 10

HUMILDADE
e morte ao ego

---

*...a si mesmo se humilhou,
tornando-se obediente até à morte...*
— FILIPENSES 2:8

HUMILDADE

A humildade é o caminho para a morte, pois na morte ela dá a maior prova de sua perfeição. A humildade é o florescimento do qual a morte ao ego é o perfeito fruto. Jesus se humilhou até a morte e abriu o caminho no qual devemos andar também. Assim como lá não havia maneira de Ele provar Sua entrega absoluta a Deus ou de desistir e sair da natureza humana para a glória do Pai a não ser pela morte, assim também é conosco. A humildade tem de nos levar a morrer para o ego; então, provamos quão completamente desistimos de nós mesmos para ele e para Deus: somente, então, somos libertos da natureza caída e encontramos o caminho que leva à vida em Deus, para o pleno nascimento da nova natureza, da qual a humildade é o fôlego e a alegria.

Temos falado do que Jesus fez por Seus discípulos quando transmitiu Sua vida de ressurreição para eles, quando, na descida do Espírito Santo, Ele, o glorificado e entronizado Manso, veio dos Céus para habitar neles. Ele ganhou o poder para fazer isso por meio da morte: a vida que Ele partilhou, em seu caráter mais intrínseco, foi uma vida que saiu da morte, uma vida que foi entregue à morte e foi ganha pela morte. Ele, que veio habitar nos discípulos era, Ele mesmo, Alguém que havia sido morto e agora vivia para sempre. Sua vida, Sua pessoa, Sua presença carregam as marcas de morte, de ser a vida nascida da morte.

Aquela vida em Seus discípulos também carrega sempre as marcas da morte; é somente com o Espírito da morte, do Morto, ao habitar e agir na alma, que o poder de Sua vida pode ser conhecido. A primeira e principal das marcas do morrer do Senhor Jesus, das marcas da morte que indicam o verdadeiro seguidor de Jesus, é a humildade, por estas duas razões: somente a humildade leva à perfeita morte e somente a morte aperfeiçoa a humildade. A humildade e a morte são, em essência, uma só: a humildade é o embrião, e, na morte, o fruto é amadurecido até a perfeição.

A HUMILDADE LEVA À PERFEITA MORTE
Humildade significa o desistir do ego e o tomar o lugar do perfeito nada ser diante de Deus. Jesus se humilhou e tornou-se obediente até a morte. Na morte, Ele deu a maior e a mais perfeita prova de ter desistido de Sua vontade em prol da vontade de Deus. Na morte, Ele desistiu de si mesmo, com a natural relutância do ego[1] em beber do cálice; Ele desistiu da vida que tinha em união com nossa natureza humana; Ele morreu para o ego e para o pecado que o tentava; então, como homem, Ele entrou na perfeita vida de Deus. Se não fosse pela Sua infinita humildade, considerando a si mesmo como nada, a não ser como um servo para fazer e sofrer a vontade de Deus, Ele nunca teria morrido.

Isso nos dá a resposta para a questão tão frequentemente feita, e da qual o significado é muito raramente apreendido de forma clara: "Como posso morrer para o ego?". A morte para o ego não é nossa *obra*, é obra *de Deus*. Em Cristo você está *morto* para o pecado; a vida que estava em você se foi pelo processo de morte e ressurreição; você pode estar certo de que está, de fato, morto para o pecado. Mas a plena manifestação do poder dessa morte em sua disposição e conduta depende da medida que o Espírito Santo *partilha* do poder da morte de Cristo. E é aqui que o ensinamento é necessário: se você entrasse em plena comunhão com Cristo em Sua morte e conhecesse a plena libertação do ego, *humilharia a si mesmo. Essa* é sua única obrigação. Coloque-se diante de Deus em completo abandono; consinta de coração com o fato de sua impotência para matar a si mesmo e de fazer a si mesmo viver; mergulhe em seu próprio nada ser, no espírito de mansidão e paciência e confiável entrega a Deus. Aceite cada humilhação, olhe para cada homem que tenta ou irrita você como um meio de graça para humilhá-lo. Use toda oportunidade de humilhar-se diante dos homens como uma ajuda para permanecer diante de Deus. Ele aceitará tal humilhação como a prova de que você deseja isso de todo coração, como a melhor oração por isso, como sua preparação para o poderoso trabalho da Sua graça, quando, pela poderosa força de Seu Santo Espírito, Ele revela Cristo plenamente em você, para, então, Ele, em Sua forma de servo, ser verdadeiramente formado em você e habitar em seu coração. Esse é o caminho de humildade que leva à perfeita morte, à plena e perfeita experiência de que estamos mortos em Cristo.

A MORTE LEVA À PERFEITA HUMILDADE

Tomemos cuidado com o erro que muitos cometem: eles gostariam de ser humildes, mas estão temerosos de ser *muito* humildes. Eles têm tantas qualificações e limitações, tantos arrazoamentos e questionamentos do que a verdadeira humildade é e faz que nunca se submetem sinceramente a ela. Cuidado com isso! *Humilhe-se até a morte.* É na morte ao ego que a humildade de Cristo é aperfeiçoada. Esteja absolutamente certo de que na raiz de toda experiência autêntica de mais graça, de todo verdadeiro progresso na consagração, de toda conformação realmente crescente à semelhança de Jesus tem de haver uma *mortificação* para o ego a qual prova, a Deus e aos homens, que é genuína, em nossa disposição e hábitos.

É lamentavelmente possível falar de morte-vida e do andar no Espírito enquanto até o mais ingênuo não pode fazer nada a não ser ver o quanto há de ego. A morte ao ego não tem marca mais certa de morte do que uma humildade que faz de si mesmo alguém sem reputação, que se esvazia e toma a forma de servo. É possível falar muito e honestamente de comunhão com o Cristo desprezado e rejeitado e de carregar Sua cruz, enquanto a mansa e humilde, a meiga e gentil humildade do Cordeiro de Deus não é vista, é muito raramente vista. O *Cordeiro* de Deus significa duas coisas: mansidão e morte. Vamos buscar recebê-lo em ambas as formas. Em Jesus, essas marcas são inseparáveis: elas têm de estar em nós também.

Que tarefa sem esperança se *nós* tivéssemos de fazer o trabalho! Natureza[2] nunca pode vencer natureza, nem mesmo com a ajuda da graça. Ego nunca pode expulsar ego, nem mesmo no homem regenerado. Louvado seja Deus! O trabalho foi feito, concluído e aperfeiçoado para sempre! A morte de Jesus, de uma vez por todas, é a nossa morte para o ego. E a ascensão de Jesus, Sua entrada

HUMILDADE

de uma vez por todas no Santo dos Santos, nos deu o Espírito Santo para nos transmitir em poder e fazer nosso o poder da morte-vida.

Como a alma, na busca e prática da humildade, segue os passos de Jesus, sua consciência da necessidade de algo mais é despertada, seu desejo e esperança são apressados, sua fé é fortalecida, e ela aprende a olhar para o alto e clamar e receber aquela verdadeira plenitude do Espírito de Jesus que pode, diariamente, manter a morte ao ego e pecado sob o Seu pleno poder e fazer da humildade o espírito que permeia toda nossa vida[3].

"Porventura, ignorais que todos nós que fomos batizados em Cristo Jesus fomos *batizados na sua morte*? [...] Considerai-vos *mortos para o pecado*, mas vivos para Deus, em Cristo Jesus. [...] Oferecei-vos a Deus, como ressurretos dentre os mortos" (RM 6:3,11,13). A completa autoconscientização do cristão é ser saturado e caracterizado pelo espírito que avivou a morte de Cristo. Ele tem sempre de oferecer-se a Deus como alguém que morreu em Cristo e em Cristo está vivo vindo da morte, levando em seu corpo o morrer do Senhor Jesus. Sua vida sempre leva as duas marcas entrelaçadas: suas raízes alcançando[4], na verdadeira profunda humildade dentro do sepulcro de Jesus, a morte ao pecado e ao ego, e sua cabeça elevada, em poder de ressurreição, aos Céus onde Jesus está.

Crente, clame em fé a morte e a vida de Jesus como suas. Entre na sepultura de Cristo no descanso do ego e da obra do ego — o descanso de Deus. Com Cristo, que confiou Seu espírito nas mãos do Pai, humilhe-se e desça cada dia até a perfeita e sem esperança[5] dependência de Deus. Ele irá ressuscitá-lo e exaltá-lo. Mergulhe cada manhã em profundo, profundo nada ser dentro do sepulcro de Jesus; cada dia a vida de Jesus será manifestada em você. Permita que uma disposta, amável, tranquila, alegre humildade seja a marca que você tenha, de fato, reivindicado como seu direito de nascimento: o batismo para dentro da morte de Cristo. "…com uma única oferta, aperfeiçoou para sempre quantos estão sendo santificados" (HB 10:14).

As almas que entram em Sua humilhação acharão nEle o poder para ver e considerar o ego morto, e, como aqueles que aprenderam e receberam dEle, para andar com toda humildade e mansidão, suportando uns aos outros em amor. A morte-vida é vista em mansidão e humildade como a de Cristo.

---

[1] No caso do Senhor Jesus, Seu "ego" não tem as marcas do pecado, mas refere-se a Sua natureza humana, que, mesmo sendo sem pecado, ainda era livre para escolher ou não submeter-se à vontade de Deus, que era a cruz.

[2] Referindo-se à natureza humana caída.

[3] Veja Nota C, pág. 107.

[4] Também "obtendo" ou "aprofundando-se".

[5] No sentido de não depositarmos nossa esperança em qualquer outra coisa a não ser na absoluta dependência de Deus.

CAPÍTULO 11

HUMILDADE
e alegria

---

*De boa vontade, pois, mais me gloriarei
nas fraquezas, para que sobre mim
repouse o poder de Cristo. Pelo que sinto
poder nas fraquezas [...] Porque
quando sou fraco, então, é que sou forte.*
— 2 CORÍNTIOS 12:9,10

HUMILDADE

Com receio de que Paulo pudesse exaltar-se a si mesmo, por causa da excessiva grandiosidade das revelações, um espinho na carne foi enviado para mantê-lo humilde. O primeiro desejo de Paulo foi que o espinho fosse removido, e ele suplicou ao Senhor por três vezes que o espinho o deixasse. A resposta foi que o sofrimento[1] era uma bênção: que, na mansidão e humilhação que ele havia trazido, a graça e a força do Senhor poderiam ter sua melhor manifestação. Paulo, então, entrou em um novo estágio em sua relação com o sofrimento: em vez de simplesmente tolerá-lo, *de boa vontade* gloriava-se nele; em vez de pedir pela libertação, *teria prazer* nele. Paulo havia aprendido que o lugar de humilhação é o lugar de bênção, de poder, de alegria.

Todo cristão possivelmente passa por esses dois estágios em sua busca de humildade. Primeiro, ele teme, foge e busca libertação de tudo o que possa humilhá-lo. Ele ainda não aprendeu a buscar humildade a qualquer custo. Ele aceitou a ordem para ser humilde e busca obedecer, ainda que somente para descobrir quão completamente falha. Ele ora por humildade, às vezes muito seriamente; mas no seu coração, em secreto, ele ora mais — se não em palavras, em desejo — para estar livre das coisas que irão fazê-lo humilde. Ele não está tão apaixonado pela humildade como a beleza do Cordeiro de Deus e a alegria dos Céus, a ponto de vender tudo para obtê-la. Em sua busca pela humildade, e em sua oração por isso, ainda há algo de um sentimento de fardo e de cativeiro; humilhar-se ainda não se tornou a expressão espontânea de uma vida e natureza que são essencialmente humildes.

Ainda não se tornou sua alegria e único prazer. Ele não pode dizer: "De boa vontade me gloriarei na fraqueza, tenho prazer no que quer que me humilhe".

Mas podemos esperar alcançar o estágio no qual isso ocorrerá? Sem dúvida alguma. E o que nos levará até lá? O que levou Paulo: *uma nova revelação do Senhor Jesus*. Nada a não ser a presença de Deus pode revelar e banir o ego. Uma percepção interior clara estava para ser dada a Paulo em relação à profunda verdade de que a presença de Jesus expulsará todo desejo de buscar qualquer coisa em nós mesmos, e nos fará deleitar em toda humilhação que nos prepara para Sua plena manifestação. Nossas humilhações nos levam, na experiência da presença e poder de Jesus, a escolher a humildade como nossa maior bênção. Tente aprender as lições que a história de Paulo nos ensina.

Podemos ter crentes espiritualmente avançados, mestres eminentes, homens de experiências celestiais, que ainda não aprenderam a lição da perfeita humildade, alegremente se gloriando na fraqueza. Vemos isso em Paulo. O perigo de exaltar-se estava chegando muito perto. Ele ainda não sabia perfeitamente o que era ser nada, morrer, para que Cristo pudesse viver nele, e a ter prazer em tudo o que o levasse a humilhar-se. É como se isso fosse a maior lição que ele tinha de aprender: plena conformidade ao seu Senhor naquele autoesvaziamento em que ele se gloriava na fraqueza a fim de que Deus pudesse ser tudo.

A mais alta lição que um crente tem de aprender é a humildade. Oh, que todo cristão que busca avançar na santidade lembre-se bem disso! Pode haver intensa consagração, zelo fervoroso e experiência celestial, e, ainda assim, se tais experiências não forem impedidas por procedimentos especiais do Senhor, pode haver uma inconsciente autoexaltação com isso tudo. Vamos aprender a lição: a mais alta santidade é a mais profunda humildade; e vamos lembrar que ela não vem de si mesma, mas somente quando é feita um assunto de tratamento especial da parte de nosso fiel Senhor e Seu servo fiel[2].

Olhemos para nossa vida à luz dessa experiência e vejamos se de boa vontade nos gloriamos na fraqueza, se temos prazer, como Paulo tinha, em injúrias, em necessidades, em aflições. Sim, perguntemos se temos aprendido a considerar uma reprovação, justa ou injusta, uma repreensão de um amigo ou inimigo, uma injúria ou problema, ou dificuldade que outros nos trazem, como, acima de tudo, uma oportunidade de provar como Jesus é tudo para nós, como nosso próprio prazer e honra são nada e como a humilhação é, em verdade, no que temos prazer. Ser, de fato, abençoado, a profunda alegria dos Céus, é estar tão livre do ego que o que for dito de nós ou feito a nós é perdido e tragado no pensamento de que Jesus é tudo.

Confiemos nEle, que se encarregou de Paulo, para que se encarregue de nós também. Paulo precisava de especial disciplina e, com isso, de especial instrução, para aprender o que era mais precioso até do que as coisas inexprimíveis que ele tinha ouvido nos Céus, que é gloriar-se em fraqueza e humildade. Precisamos muito disso também! O Senhor, que cuidou de Paulo, cuidará de nós também. Ele zela por nós com cuidado ciumento e amoroso, "a fim de que não nos exaltemos".

Quando fazemos isso, Ele busca desvendar o mal para nós e nos livrar dele. Em sofrimento, fraqueza e problemas, Ele busca nos trazer em humilhação, até que aprendamos que Sua graça é tudo, assim como para ter prazer nas próprias coisas que nos humilham e nos mantêm em humildade. Seu poder se aperfeiçoa em nossa fraqueza, e Sua presença, enchendo e satisfazendo nosso vazio, se torna o segredo da humildade que não deve falhar nunca, que pode, como Paulo fez, em plena visão daquilo que Deus trabalha em nós e por nosso intermédio, sempre dizer: "Em nada fui inferior a esses tais apóstolos, *ainda que nada sou*" (2 CO 12:11). Suas humilhações o levaram à verdadeira humildade, com o maravilhoso deleite, glória e prazer em tudo o que humilha.

"De boa vontade, pois, mais me gloriarei nas fraquezas, para que sobre mim repouse o poder de Cristo. Pelo que sinto poder nas fraquezas." O homem humilde aprendeu o segredo da alegria permanente. Quanto mais fraco se sente, quanto mais baixo se afunda, quanto maiores parecem suas humilhações, mais o poder e a presença de Cristo são sua porção — até, a ele, que nada é, a palavra de seu Senhor trazer continuamente profunda alegria: "A minha graça te basta".

Sinto como se tivesse, uma vez mais, de reunir tudo nestas duas lições: o perigo do orgulho é maior e está mais próximo do que pensamos, e a graça para a humildade também.

HUMILDADE

O perigo do orgulho é maior e está mais perto do que pensamos, e isso especialmente no tempo de nossas mais elevadas experiências. O pregador de verdades espirituais com uma admirável congregação ouvindo-o atentamente, o orador dotado em uma plataforma de santidade[3] expondo os segredos da vida celestial, o cristão dando testemunho de uma experiência abençoada, o evangelista andando como em triunfo[4], e trazendo uma bênção para alegrar as multidões — nenhum homem conhece o oculto, o inconsciente perigo ao qual estes estão expostos. Paulo estava em perigo sem conhecer isso; o que Jesus fez por ele foi escrito para nossa admoestação, para que conheçamos o perigo para nós e conheçamos nossa única salvação. Se já foi dito de um mestre ou de um defensor da santidade: "Ele é tão cheio do ego", ou "Ele não pratica o que prega", ou "Sua bênção não fez dele alguém mais humilde ou bondoso", que isso não mais seja dito. Jesus, em quem confiamos, pode fazer-nos humildes.

Sim, também *a graça para a humildade é maior e está mais perto do que pensamos*. A humildade de Jesus é nossa salvação: o próprio Jesus é nossa humildade. Nossa humildade é Seu cuidado e Sua obra. Sua graça é suficiente para nós, para opor-se à tentação do orgulho também. Seu poder será aperfeiçoado em nossa fraqueza. Vamos escolher ser fracos, ser humildes, ser nada. Permitamos que a humildade seja nossa alegria e deleite. Vamos, de boa vontade, nos gloriar e ter prazer em fraquezas, em tudo o que possa nos humilhar e nos manter quebrantados — o poder de Cristo descansará sobre nós. Cristo se humilhou e, por isso, Deus o exaltou. Cristo nos humilhará e nos manterá humildes; consintamos de coração, aceitemos confiada e alegremente tudo o que humilhe — o poder de Cristo descansará sobre nós. Reconheçamos que a mais profunda humildade é o segredo da mais confiável alegria, da alegria que nada pode destruir.

---

[1] Ou provação.

[2] Ou seja, Paulo. O autor indica que o próprio Deus se empenha em proporcionar aos Seus fiéis servos situações especiais que resultem em oportunidade para rejeitarem a autoexaltação e aceitarem ser humilhados.

[3] Referindo-se ao Movimento de Santidade, já mencionado anteriormente.

[4] O autor usa a expressão de Paulo em 2 Coríntios 2:14, que faz menção à procissão triunfante dos conquistadores romanos.

CAPÍTULO 12

HUMILDADE
e exaltação

...o que se humilha será exaltado.
— LUCAS 18:14

*Deus [...] dá graça aos humildes [...].
Humilhai-vos na presença do Senhor,
e ele vos exaltará.*
— TIAGO 4:6,10

*Humilhai-vos, portanto,
sob a poderosa mão de Deus, para que ele,
em tempo oportuno, vos exalte.*
— 1 PEDRO 5:6

HUMILDADE

Um dia me perguntaram: "Como posso vencer esse orgulho?". A resposta é simples, pois apenas duas coisas são necessárias: faça o que Deus diz que é seu trabalho, ou seja humilhe-se a si mesmo, e confie nEle para fazer o que Ele diz que é trabalho dEle. Assim Ele o exaltará.

A ordem é clara: humilhe-se a si mesmo. Isso não significa que é o seu trabalho vencer e expulsar o orgulho de sua natureza e gerar dentro de você a mansidão do santo Jesus. Não, essa é a obra de Deus, a própria essência da exaltação, na qual Ele o eleva para dentro da verdadeira semelhança do Filho amado. O que essa ordem significa é isto: tome cada oportunidade de humilhar-se diante de Deus e do homem. Confie na graça que já está agindo em você, na segurança de que mais graça para vitória está vindo e de que a luz da consciência brilha sobre o orgulho do coração e suas obras; apesar de tudo o que possa haver de fracasso e falha, permaneça persistentemente sob esta ordem imutável: humilhe-se a si mesmo.

Aceite com alegria tudo o que Deus permite, interior ou exteriormente, de amigo ou inimigo, em natureza ou em graça, para lembrá-lo da sua necessidade de humilhar-se e para ajudá-lo a isso. Considere a humildade como, de fato, a virtude-mãe, sua primeira obrigação diante de Deus, a única salvaguarda perpétua da alma, e fixe seu coração nisso como a origem de toda bênção. A promessa é divina e segura: aquele que se humilhar será exaltado. Cuide para fazer a única coisa que Deus pede: humilhe-se a si mesmo. Deus cuidará de fazer a única coisa que Ele prometeu: Ele dará mais graça e exaltará você no devido tempo.

Todos os tratamentos de Deus com o homem são caracterizados por dois estágios. Há o tempo de preparação, quando ordem e promessa — com a experiência mesclada de esforço e impotência, de fracasso e sucesso parcial, com a santa expectativa de algo melhor que isso despertará — treinarão e disciplinarão os homens para um estágio mais elevado. Depois, vem o tempo de cumprimento, quando a fé herda a promessa e deleita-se por ter, tantas vezes, se esforçado em vão. Essa lei vale em cada aspecto da vida cristã e na busca de cada virtude em separado, porque ela está plantada na própria natureza das coisas. Em tudo o que concerne a nossa redenção, Deus tem de necessariamente tomar a iniciativa. Quando isso estiver feito, o voltar do homem a Deus acontece.

No esforço de obter a obediência, uma pessoa tem de aprender a conhecer sua impotência — a ponto de desesperar-se para morrer para ele mesmo — e ser ajustado voluntária e inteligentemente para receber de Deus o fim, a completação daquilo que ele aceitou no início da vida cristã em ignorância. Então, Deus — que foi o Início, antes que o homem o conhecesse razoavelmente ou plenamente entendesse o que era Seu propósito — é ansiado e bem-vindo como o Fim, como o Tudo em todos.

E tanto como é assim em relação à salvação, também é na busca da humildade. A ordem vem do trono, do próprio Deus, para cada cristão: humilhe-se a si mesmo. O cristão sério que atenta para ouvir e obedecer será recompensado — sim, recompensado — com a dolorosa descoberta de duas coisas. A primeira: quão profundo orgulho — que é a má vontade de se considerar e ser considerado como nada para submeter-se a Deus — havia, o qual não era conhecido de ninguém. A segunda será perceber que há completa impotência em todos os nossos esforços (e também em todas as nossas orações pela "ajuda de Deus") para destruir esse horrível monstro.

Bem-aventurado o homem que agora aprende a pôr sua esperança em Deus e perseverar, apesar de todo o poder do orgulho em seu interior, em atos de humilhação diante de Deus e dos homens. Conhecemos a lei da natureza humana: atos produzem hábitos, hábitos geram disposições, disposições formam a vontade, e a vontade devidamente formada é caráter. Não é diferente na obra da graça. Enquanto temos atos de humilhação, os quais, persistentemente repetidos, tornam-se hábitos e disposições, e essas fortalecem o desejo, Deus, que efetua em nós tanto o querer como o realizar (Fp 2:13), vem com Seu maravilhoso poder e Espírito, e, assim, a humilhação do coração orgulhoso — com a qual o santo penitente lançou-se a si mesmo frequentemente diante de Deus — é recompensada com "mais graça" do coração humilde, no qual o Espírito de Jesus venceu e levou a nova natureza à maturidade, e onde Ele, o manso e humilde, agora habita para sempre.

Humilhem-se na visão do Senhor, e Ele os exaltará. E no que consiste a exaltação? A mais elevada glória da criatura é ser somente um vaso, para receber, desfrutar e demonstrar publicamente a glória de Deus. Ela pode fazer isso somente quando está desejando nada ser em si mesma para que Deus seja tudo. A água sempre preenche primeiro os lugares mais baixos. Quanto mais baixo, quanto mais vazio o homem fica diante de Deus, mais rápido e mais plenamente será o enchimento interior com a glória divina.

A exaltação que Deus promete não é, não pode ser, qualquer coisa externa à parte dEle mesmo; tudo o que Ele tem para dar ou pode dar é somente mais dEle mesmo para tomar posse de nós mais completamente. A exaltação não é, como um prêmio terreno, algo arbitrário, sem a necessária conexão com a conduta a ser recompensada. Não! Mas é, em sua própria natureza, o efeito e o resultado de nos humilhar a nós mesmos. Não é nada a não ser o dom de tal humildade divina que habita interiormente, tal conformidade e posse da humildade do Cordeiro de Deus, que nos prepara para receber plenamente o habitar de Deus em nosso interior.

Aquele que a si mesmo se humilhar será exaltado. O próprio Jesus é a prova da verdade dessas palavras e da certeza de seu cumprimento para nós, Ele é a garantia. Vamos tomar sobre nós Seu jugo e aprender dEle, pois Jesus é manso e humilde de coração. Se não quisermos nos curvar a Ele, como Ele se curvou a nós, Ele ainda se curvará a cada um de nós novamente, e não nos encontraremos em jugo desigual com Ele.

Como entramos profundamente na comunhão de Sua humilhação, e também nos humilhamos ou carregamos a humilhação dos homens, podemos contar que o Espírito de Sua exaltação, "o Espírito de Deus e de glória", repousará sobre nós. A presença e o poder do Cristo glorificado virão para aqueles que são humildes de espírito.

HUMILDADE

Quando Deus tiver novamente o Seu devido lugar em nós, Ele nos exaltará.

Por isso, faça da glória de Deus sua preocupação em humilhar-se a si mesmo. Ele fará de sua glória o Seu cuidado em aperfeiçoar sua humildade e soprá-la em seu interior, como habitante permanente em sua vida, o próprio Espírito de Seu Filho. Como a vida Onipresente de Deus domina você, não haverá nada tão espontâneo e nada tão doce como ser nada, com nenhum pensamento ou desejo do ego, pois tudo é ocupado com Aquele que a tudo preenche. "De boa vontade me gloriarei em minha fraqueza, para que o poder de Cristo repouse sobre mim."

Não temos aqui a razão pela qual nossa consagração e nossa fé são tão pouco úteis na busca pela santidade? Foi pelo ego e sua força que a obra foi feita sob o nome de fé; foi para o ego e sua alegria que Deus foi chamado; era, inconscientemente, mas ainda verdadeiramente, no ego e em sua santidade que a alma se regozijou. Antes, não tínhamos ideia de que a humildade — absoluta, habitante, humildade e autodestruição semelhantes às de Cristo, permeando e marcando toda nossa vida com Deus e o homem — era o elemento mais essencial da vitalidade da santidade que buscamos ver.

É apenas sob o domínio de Deus que perco meu ego. Como é na altura, na largura e glória da luz do sol que a insignificância da partícula de poeira se movimentando é vista, assim também a humildade é tomarmos nosso lugar na presença de Deus para ser uma partícula de pó habitando na luz do sol de Seu amor.

"Quão grande é Deus! Quão pequeno sou!
Perdido, tragado na imensidão do Amor!
Há somente Deus, não eu!"

Que Deus nos ensine a crer que ser humilde, ser nada em Sua presença, é o mais elevado feito e a bênção mais plena da vida cristã. Ele nos fala: "Habito no lugar santo e elevado, e com aquele que é de espírito contrito e humilde". Que essa seja nossa porção!

"Ó, ser o mais vazio, o mais baixo,
Humilhado, ignorado e desconhecido,
E para Deus o mais santo vaso,
Cheio com Cristo, e somente Cristo!"

NOTAS FINAIS

NOTA A

Tudo isso é para tornar conhecido na região de eternidade que o orgulho pode degradar os anjos mais elevados em malignos, e a humildade pode elevar a carne e o sangue decaídos aos tronos de anjos. Assim, esse é o grande propósito de Deus em levantar uma nova criação para fora de um reino de anjos caídos; para esse fim ele permanece em seu estado de guerra entre o fogo e orgulho de anjos caídos e a humildade do Cordeiro de Deus, que a última trombeta soará a grande verdade através das profundezas da eternidade: que o mal não pode ter início a não ser pelo orgulho, e não ter fim a não ser pela humildade.

A verdade é esta: o orgulho tem de morrer em você, ou nada dos Céus poderá viver em você. Sob a bandeira da verdade, desista de si mesmo para o manso e humilde espírito do Santo Jesus. A humildade tem de lançar a semente, ou não pode haver colheita nos Céus.

"Não olhe para o orgulho como um temperamento inconveniente, nem para a humildade somente como uma virtude conveniente, pois um é morte, e o outro é vida; um é totalmente diabólico, o outro é totalmente celestial. O que você tem de orgulho em seu interior é o que tem de anjo caído vivendo em você; o que você tem de verdadeira humildade é o que você tem do Cordeiro de Deus dentro de você. Se você pudesse ver o que todo orgulho ativo faz à sua alma, imploraria por tudo que encontrasse para arrancar essa víbora de você, ainda que com a perda de uma das mãos ou de um dos olhos. Se você visse que poder doce, divino e transformador há na humildade, como ela expulsa o veneno da natureza que você tem e dá lugar ao Espírito de Deus viver em você, você desejaria ser o escabelo de todo o mundo a querer a menor posição dele."

(*The Spirit of Prayer* [Espírito de Oração], parte 2, p. 73, Edição de Moreton, Cantuária, 1893.)

NOTA B

"Precisamos saber duas coisas: 1. Que nossa salvação consiste totalmente em sermos salvos de nós mesmos ou do que somos por natureza; 2. Que pela própria natureza das coisas nada poderia ser essa salvação ou salvador para nós a não ser tal humildade de Deus, que é além de toda expressão. Por essa razão, a primeira condição inalterável do Salvador para o homem caído foi: 'A não ser que um homem negue-se a si mesmo, ele não pode ser Meu discípulo'.

O ego é todo o mal da natureza caída; autonegação é nossa capacidade de sermos salvos; a humildade é nossa salvadora [...]. O ego é a raiz, os galhos, a árvore de todo o mal de nosso estado decaído. Todos os males dos anjos caídos e dos homens têm início no orgulho do ego. Por outro lado, todas as virtudes da vida celestial são as virtudes da humildade. É somente a humildade que atravessa o abismo intransponível entre os Céus e o inferno. O que acontece, então, ou em que direção vai o grande esforço para a vida eterna? Tudo isso direciona para a luta entre o orgulho e a humildade: orgulho e humildade são os dois poderes-mestres, os dois reinos na luta pela eterna posse do homem.

Nunca houve, nem nunca haverá, a não ser uma única humildade, que é a humildade única de Cristo. Orgulho e ego têm o tudo do homem, até que o homem tenha seu tudo de Cristo. Ele, portanto, tem somente um bom combate, cujo esforço é o de levar a natureza autoidólatra que ele tem de Adão à morte pela humildade sobrenatural de Cristo levada à vida nele."

(William Law, *Address to the Clergy* [Discurso ao Clero], p. 52.)
(Espero que este livro sobre a Lei do Espírito Santo seja publicado pelo meu editor...)

NOTA C

"Morrer para o ego ou sair de sob o seu poder não é, não pode ser feito, por nenhuma resistência ativa que possamos fazer a ele pelo poder da natureza. O único caminho verdadeiro de morrer para o ego é o

HUMILDADE

caminho da paciência, mansidão, humildade e resignação a Deus. Essa é a verdade e a perfeição de morrer para o ego [...]. Pois se eu lhe perguntar o que o Cordeiro de Deus significa, você não tem de me dizer que Ele é e significa a perfeição da paciência, mansidão, humildade e resignação a Deus? Você não deveria dizer-me, portanto, que um desejo por essas virtudes é um desejo de salvação, é uma aplicação a Cristo, é um desistir de si mesmo para Ele e para a perfeição da fé nEle?

"E depois, por causa dessa inclinação de seu coração em mergulhar na paciência, mansidão, humildade e resignação a Deus, desistir verdadeiramente de tudo o que você é e de tudo o que você tem do Adão caído e perfeitamente deixar tudo o que você tem para seguir a Cristo é seu ato mais elevado de fé nEle. Cristo não está noutro lugar a não ser nessas virtudes; e onde elas estão, está Ele em Seu próprio reino. Permita que esse seja o Cristo que você segue.

"O Espírito do amor divino não pode ter início em nenhuma criatura caída até que ela deseje e escolha morrer para todo o ego, numa resignação paciente e humilde ao poder e misericórdia de Deus.

"Busco por minha salvação através dos méritos e mediação do manso, humilde, paciente, sofredor Cordeiro de Deus, que, sozinho, tem poder para levar adiante o bendito início dessas virtudes celestiais em minha alma. Não há possibilidade de salvação senão dentro e pelo nascimento do manso, humilde, paciente e resignado Cordeiro de Deus em nossa alma.

Quando o Cordeiro de Deus tiver levado adiante um real início de Sua própria mansidão, humildade e plena resignação a Deus em nossa alma, então esse é o início do espírito de amor em nossa alma, que, quando alcançarmos, deleitará nossa alma com tal paz e alegria em Deus que irá obscurecer nossa lembrança de tudo a que antes chamávamos de paz e alegria.

"Esse caminho para Deus é infalível. Essa infalibilidade é firmada no duplo caráter de nosso Salvador: 1. Quando Ele é o Cordeiro de Deus, há o princípio de toda mansidão e humildade na alma; 2. Quando Ele é a Luz dos Céus, e abençoa a natureza eterna e a torna em um reino dos Céus — quando estamos desejosos para obter descanso para nossa alma em resignação mansa e humilde a Deus, acontece que Ele, como a Luz de Deus e dos Céus, alegremente cai sobre nós, torna nossas trevas em luz — e começa o reino de Deus e de amor dentro de nós que nunca terá fim."

(*Wholly for God* [Totalmente para Deus], seleções dos escritos de William Law, editados por Andrew Murray.)

(Toda a passagem merece estudo cuidadoso, pois mostra, de maneira extraordinária, como o mergulhar contínuo na humildade diante de Deus é, do lado do homem, o único caminho para morrer para si mesmo.)

(Todo o diálogo foi publicado separadamente sob o título *Dying to Self: A Golden Dialogue* [Morrer para o Ego: Um Diálogo Áureo], por William Law, com notas por Andrew Murray [Nisbet & Co.].)

Todo aquele que estudar e praticar a humildade encontrará nesse precioso diálogo o que impede nossa humildade, como somos libertados desse obstáculo e que a bênção do Espírito de Amor é o que vem de Cristo, o manso e humilde Cordeiro de Deus, para o humilde.

NOTA D

Um segredo dos segredos:
Humildade, a alma da verdadeira oração

Até que o espírito do coração seja renovado, até que seja esvaziado de todos os desejos terrenos e permaneça em uma fome e sede constantes diante de Deus, que é o verdadeiro espírito de oração, todas as nossas orações serão, mais ou menos, principalmente como lições dadas a estudiosos, e iremos, na maioria das vezes, pronunciá-las somente porque não nos atrevemos a negligenciá-las. Mas não se desencorajem; tomem o seguinte conselho, e assim vocês poderão ir à igreja sem nenhum perigo de mero louvor da boca para fora ou hipocrisia, apesar de poder haver um hino ou uma oração cuja linguagem seja mais elevada do que a do nosso coração. Faça isto: vá à igreja como o publicano que foi ao Templo; permaneça intimamente no espírito de sua mente da mesma forma como o publicano expressou-se exteriormente quando baixou os olhos e pôde dizer apenas: "Deus, tem misericórdia de mim, pecador". Permaneça imutável, pelo menos em seu desejo, nessa forma ou estado de coração; isso santificará toda petição que sair de sua boca; e quando algo lido, ou cantado, ou orado for mais exaltado do que seu coração é, se você faz disso uma ocasião adicional de mergulhar no espírito do publicano, você será então ajudado, e grandemente abençoado, por aquelas orações e louvores que parecem somente pertencer a um coração melhor que o seu.

Isso, meu amigo, é o segredo dos segredos; isso o ajudará a colher onde você não semeou e será uma fonte contínua de graça em sua alma; pois tudo que o agita interiormente, ou acontece exteriormente a você, se torna um bem verdadeiro para encontrar ou estimular em você esse estado humilde de mente. Porque nada é em vão ou sem proveito para a alma humilde; ela permanece sempre num estado de divino crescimento; tudo o que cai sobre ela é como um orvalho dos céus. Cale-se a si mesmo, portanto, nessa forma de humildade; todo bem está incluso nisso; é água do Céu, que torna o fogo da alma caída em mansidão da vida divina e gera aquele óleo no qual o amor a Deus e ao homem tem sua chama. Esteja incluído, portanto, sempre nisso; permita que seja como uma vestimenta com a qual você está sempre vestido, e uma cinta com a qual você está cingido; não inspire nada a não ser desse espírito e nele; não veja nada a não ser com esses olhos; não ouça nada a não ser com esses ouvidos. E depois, se você está na igreja ou fora dela, ouvindo os louvores a Deus ou recebendo ofensas dos homens e do mundo, tudo será edificação e tudo ajudará seu crescimento na vida em Deus."

(*The Spirit of Prayer* [Espírito de Oração], Parte 2, p. 121.)

UMA ORAÇÃO POR HUMILDADE

Vou aqui dar uma infalível pedra de toque[1], que irá provar todos em relação à verdade. É isto: afaste-se do mundo e de toda conversação, somente por um mês; não escreva,

HUMILDADE

não leia, não debata nada com você mesmo; pare todo trabalho anterior de seu coração e mente, e, com toda a força do seu coração, permaneça todo esse mês, tão continuamente quanto possa, na seguinte forma de oração a Deus.

Ofereça-a frequentemente de joelhos; mas se estiver sentado, andando ou em pé, esteja sempre interiormente desejoso e seriamente orando essa única oração a Deus: "Que toda a Tua grande bondade tu a faças conhecida a mim, e tome de meu coração todo tipo, grau e forma de orgulho, quer vindo de espíritos malignos ou de minha própria natureza corrupta; e que tu despertes em mim uma profunda verdade e profundeza daquela humildade que me faça suscetível à Tua luz e Santo Espírito".

Rejeite todo pensamento, a não ser aquele de esperar e orar por esse assunto do mais profundo do seu coração, com tal verdade e seriedade, como as pessoas em tormenta desejam orar a fim de serem libertos dela [...].

Se você pode e dará a si mesmo em verdade e sinceridade a esse espírito de oração, eu arrisco afirmar que se você tiver duas vezes mais espíritos malignos do que Maria Madalena teve, eles serão expulsos de sua vida e você será forçado, assim como ela foi, a derramar lágrimas de amor aos pés do santo Jesus.

(*The Spirit of Prayer* [Espírito de Oração], Parte 2, p. 124.)

---

[1]Pedra preta e muito dura, para avaliar a pureza do ouro e da prata que nela se atritam; meio de avaliar (*Michaelis, Moderno Dicionário da Língua Portuguesa*, Melhoramentos, 2000).